Maudit hiver

Toutes les raisons
de ne pas l'aimer

Catalogage avant publication de Bibliothèque et Archives
nationales du Québec et Bibliothèque et Archives Canada

Dubuc, Alain

Maudit hiver : toutes les raisons de ne pas l'aimer

ISBN 978-2-89705-445-8

1. Hiver - Québec (Province). 2. Nordicité - Québec (Province).
I. Titre.

QB637.8.D82 2015   508.2   C2015-941257-9

Présidente : Caroline Jamet
Directeur de l'édition : Jean-François Bouchard
Directrice de la commercialisation : Sandrine Donkers
Responsable, gestion de la production : Carla Menza
Communications : Marie-Pierre Hamel

Éditrice déléguée : Nathalie Guillet
Conception graphique : Simon L'Archevêque
Révision linguistique : Natacha Auclair
Correction d'épreuves : Élise Tétreault

Photo de la couverture arrière : Alain Roberge

L'éditeur bénéficie du soutien de la Société de développement des
entreprises culturelles du Québec (SODEC) pour son programme
d'édition et pour ses activités de promotion.

L'éditeur remercie le gouvernement du Québec de l'aide financière
accordée à l'édition de cet ouvrage par l'entremise du Programme
de crédit d'impôt pour l'édition de livres, administré par la SODEC.

Nous remercions le Conseil des arts du Canada de l'aide accordée à
notre programme de publication.

Financé par le gouvernement du Canada
Funded by the Government of Canada

LES ÉDITIONS **LA PRESSE**
Les Éditions La Presse
7, rue Saint-Jacques
Montréal (Québec)
H2Y 1K9

Alain Dubuc

Maudit hiver

Toutes les raisons de ne pas l'aimer

LES ÉDITIONS **LA PRESSE**

Table des matières

—1—
La nordicité ?
Un autre mythe québécois...

Je suis un de ces très nombreux Québécois qui n'aiment pas l'hiver. Je ne peux pas vraiment dire que je le déteste : je suis capable d'en voir la beauté, il provoque parfois en moi de courts moments d'émotion esthétique. Dans l'ensemble, disons que je m'accommode de l'hiver, que je le supporte sans enthousiasme, notamment grâce aux sports d'hiver. Mais fondamentalement, pour moi, le 21 décembre, ce n'est pas Noël qui arrive, c'est le solstice d'hiver qui nous annonce que les journées vont commencer à s'allonger jusqu'au mois de juin. Je ne suis pas le seul à penser comme ça. Les véritables amoureux de l'hiver sont assez rares.

La plupart des gens ne peuvent pas y faire grand-chose, à part se sauver dans le Sud ou pester contre le climat et l'accepter avec résignation. J'ai toutefois un avantage sur la plupart des Québécois qui partagent mon hivernophobie, si vous me permettez le néologisme : je dispose d'une arme contre le fatalisme climatique, et c'est ma plume – ou plutôt mon clavier –, qui me permet de me défouler et qui me donne l'impression de pouvoir faire quelque chose pour combattre l'inévitable.

Le but premier de ce livre, c'est de partager ma frustration avec ceux et celles qui ont le même rapport à l'hiver que moi et de leur permettre, à travers ces pages, de canaliser la leur. J'avais la conviction, quand j'ai eu l'idée de ce livre, de parler au nom d'un grand nombre de Québécois, et le hasard faisant bien les choses, j'ai entrepris la rédaction de ces pages au début de 2015, au cœur du pire hiver de mémoire d'homme (et de femme) : un mois de janvier glacial ; le mois de février le plus froid depuis 115 ans, soit depuis que l'on dispose de données climatiques ; un mois de mars douloureusement sous les moyennes… Des températures qui ne se sont pas aventurées au-dessus du zéro pendant dix semaines à Montréal, ce que l'on n'avait jamais vu. La nature m'a donc donné un solide coup de pouce. Ces excès climatiques m'ont inspiré, et ils ont sans doute aussi gonflé les rangs de ceux qui partagent mes vues.

Évidemment, si je me bornais à ce cri du cœur, je tournerais rapidement en rond. Je réjouirais ceux qui partagent ma perception, j'aiderais à nourrir les discussions de famille ou les conversations de bureau entre partisans et adversaires de l'hiver, mais cet exercice de défoulement, quand même assez futile, a ses limites.

Ce livre n'est donc pas seulement un manifeste contre l'hiver. Je veux aller plus loin. À partir de ce thème qui touche tout le monde – nous sommes une société obsédée par la météo –, je veux creuser nos rapports avec l'hiver, avec le froid, avec la nordicité, éléments importants de nos vies, et proposer une réflexion plus large sur le Québec, sur l'âme québécoise, sur ses valeurs, sa culture, sa vie économique et son identité.

LES EFFETS DE MODE

Cette réflexion se veut aussi un contrepoids à ce qui semble être une mode. Les voix se multiplient pour suggérer que les

Québécois devraient «assumer leur nordicité». Des urbanistes, des intellectuels, des chroniqueurs, des politiciens – comme le maire de Montréal Denis Coderre – utilisent l'expression. Cela s'explique certainement par le fait que les pays nordiques ont la cote tant pour leurs succès économiques que pour leur équilibre social. Par extension, on se demande pourquoi, au Québec et au Canada, nous n'imitons pas les peuples d'Europe du Nord dans leur adaptation à la réalité nordique, pourquoi nous n'embrassons pas l'hiver avec autant d'enthousiasme, ou du moins autant de sérénité, que les Suédois, les Danois, les Norvégiens ou les Finlandais. Pourquoi nous n'aménageons pas nos villes comme ces sociétés avec qui nous partageons la nordicité, qu'il s'agisse des pistes cyclables déneigées tout au long de l'année, des activités extérieures joyeuses, du vin chaud sur les terrasses au mois de janvier…

Ma démarche n'est pas neutre. Je ne suis pas un chantre de l'hiver. Ces appels pour «assumer» notre nordicité m'agacent parce qu'ils sont trop souvent moralisateurs et culpabilisants pour ceux qui ne l'assumeraient pas. Et surtout, ils reposent à la fois sur une méconnaissance des réalités scandinaves et sur une lecture très partielle des réalités québécoises. Ma thèse va exactement dans le sens inverse: si cela avait été possible au plan graphique, le titre de cet essai aurait pu être *Pourquoi les Québécois ne sont pas nordiques, pourquoi ils ne le seront jamais et pourquoi ils ont parfaitement raison de ne pas l'être.*

Voilà l'objet de ce livre. Expliquer pourquoi les Québécois ne sont pas des Scandinaves, pourquoi leurs rapports à l'hiver sont ambivalents. J'irai plus loin: l'idée de vendre la nordicité aux Québécois est fort probablement un combat perdu à l'avance, parce que les tendances lourdes qui agitent notre société feront en sorte qu'au contraire, nous aurons tendance à nous en éloigner encore davantage.

Si mon parti pris est évident, j'ai tout de même l'intention de le défendre de façon rigoureuse en faisant appel à la science, en regardant notre histoire, notre culture, notre géographie, et donc de profiter de cet effort pour découvrir des choses intéressantes sur le Québec, qui profiteront à tous indépendamment de leurs rapports personnels avec l'hiver.

UN CONCEPT RÉCENT

Contrairement à ce que l'on pourrait croire, la nordicité est un concept très récent. Le terme a carrément été inventé au Québec au milieu des années 1960. L'adjectif « nordique » existait depuis longtemps, mais il ne servait qu'à désigner les pays septentrionaux d'Europe, les trois pays scandinaves, le Danemark, la Suède et la Norvège, ainsi que la Finlande, tout comme les activités qui leur étaient associées – ski nordique, culture nordique.

Le père du mot « nordicité », c'est M. Louis-Edmond Hamelin, professeur à l'Université Laval, artisan de la Révolution tranquille, à la fois géographe, linguiste et spécialiste du Nord, qui a voulu trouver une façon d'élargir le terme « nordique » pour qu'il s'applique à l'ensemble des territoires tributaires du Nord, ou affectés par le pôle Nord, en commençant bien sûr par le Québec.

Son projet avait comme objectif scientifique de développer des champs de recherche multidisciplinaire pour analyser l'ensemble des volets de la réalité nordique, du climat aux aspects culturels. Ses efforts ont donné naissance au Centre d'études nordiques de l'Université Laval il y a plus d'une cinquantaine d'années. Sa démarche avait aussi un sens beaucoup plus profond, identitaire, celui d'amener le Québec et les Québécois à prendre conscience de leur nordicité et à l'assumer pleinement, dans leur vision du territoire, dans leur harmonie avec le Nord, dans leurs rapports avec l'hiver et le froid.

Cet objectif noble, M. Hamelin a tenté de l'atteindre par la recherche scientifique, par la linguistique (en créant des mots pour décrire les réalités nordiques), mais aussi en faisant appel aux émotions et à l'esthétique, par exemple dans un très beau livre publié à la fin de 2014, *La nordicité du Québec*[1], dans lequel, à travers des entretiens, M. Hamelin explique sa démarche et sa vision du Québec, soutenues par de superbes photographies capables d'illustrer la poésie du Grand Nord et la noblesse de ceux qui y vivent.

Cependant, à travers les nombreux textes et études de ce père de la nordicité, on voit aussi que sa quête est essentiellement un combat volontariste dont le but premier n'est pas de décrire ce qui est mais de prêcher pour ce qui devait être, non plus que de décrire la nordicité des Québécois mais de se battre pour les convaincre d'embrasser une nordicité que, de façon générale, ils rejettent. Une démarche qu'il qualifie lui-même d'idéologique, une « quête de sens » pour que les Québécois adoptent ce qu'il appelle la « nordicité mentale »[2].

Le fait même que ce chercheur et d'autres intellectuels doivent militer et se battre pour que les Québécois acceptent leur nordicité est un signe assez évident que, dans les faits, ces derniers ne sont pas vraiment nordiques. S'ils l'étaient spontanément, comme le sont, ici, les Inuits ou les autochtones septentrionaux, ou peut-être comme les populations scandinaves, on observerait le phénomène, on ne se battrait pas pour son éclosion.

UN REFUS PROFOND

Ce refus de la nordicité s'explique par plusieurs facteurs très précis que j'analyserai plus en détail. Ce qui est nordique au Québec, c'est l'hiver particulièrement rigoureux, qui prend parfois des accents polaires. Les Québécois se voient donc imposer une forme de nordicité quelques mois par année quand les régions du sud ressemblent, sous la neige et la glace, aux régions septentrionales. Cela fait d'eux, d'une certaine façon, des Nordiques saisonniers, des Nordiques à temps partiel. Reste à savoir si cette rencontre temporaire avec le Nord suffit à faire des Québécois de véritables citoyens du Nord. Ma réponse est non, même pour ceux d'entre nous qui acceptent bien l'hiver.

Dans les chapitres qui suivent, je regarderai plus en détail les caractéristiques du Québec qui expliquent cette relation complexe avec la nordicité et l'hiver : sa situation géographique, ses réalités climatiques estivales et hivernales, la nature de son territoire et les relations des Québécois avec ce territoire. Je m'intéresserai aussi aux coûts de l'hiver, qui affectent le budget familial, la croissance économique, les dépenses gouvernementales et la santé publique, pour expliquer en quoi ces contraintes renforcent notre ambivalence.

Surtout, je montrerai en quoi les grandes transformations que le Québec a connues ont aussi affecté ses rapports avec l'hiver, que l'on a assisté à un revirement qui a mené une majorité de Québécois à se définir davantage par les caractéristiques méridionales du Québec que par ses caractéristiques nordiques. Et j'expliquerai pourquoi je crois que cette bascule vers le sud, déjà très visible, ira en s'accélérant. Selon moi, l'urbanisation, le réchauffement climatique, l'élévation du niveau de vie, les changements démographiques, le désir de modernité et l'intégration continentale renforceront ces tendances, et feront en sorte que, de plus en plus, les Québécois tourneront le dos à la nordicité.

— 2 —
Le Québec habité
n'est pas nordique.
Il n'est même pas au nord.

La première raison pour laquelle les Québécois embrassent difficilement la nordicité est presque une tautologie. Le Québec n'est tout simplement pas au nord du globe. Il est vrai qu'une partie importante de la province se situe dans le Grand Nord et s'étend jusqu'au cercle polaire, mais le Québec habité, lui, se situe franchement au sud.

Ceux qui se souviennent de leurs trop rares cours de géographie physique ou ceux qui ont un intérêt pour ce domaine trouveront sans doute les paragraphes qui suivent un peu inutiles, mais ma connaissance des lacunes de notre système d'éducation et les résultats des petits tests que j'ai faits auprès de mes proches pendant la recherche et la rédaction de ce livre m'ont montré à quel point, en général, nos connaissances en cette matière sont fragiles. Voici donc quelques petits rappels géographiques pour bien nous situer.

La frontière entre le Québec et ses deux États limitrophes que sont New York et le Vermont, par exemple aux douanes de Lacolle, est une ligne droite, arbitraire, qui a été tracée au

45e parallèle nord. Ce 45e parallèle se situe très exactement à mi-chemin entre le pôle Nord et l'équateur. Montréal, qui n'est pas loin de la frontière, se situe à une latitude de 45 degrés, 30 minutes et 10 secondes, ce qui s'écrit 45° 30' 10''. Québec, un petit plus au nord, se trouve à 46° 48'. Le fait que les deux grandes villes du Québec se situent à mi-chemin entre le pôle et l'équateur devrait en principe les placer dans une zone tempérée.

MONTRÉAL, UNE VILLE MÉRIDIONALE ?

Pour se rendre compte de ce que cela représente, on peut faire une comparaison avec l'Europe de l'Ouest et plus particulièrement avec la France, le pays étranger que les Québécois connaissent le mieux et avec lequel ils ont le plus de références communes. J'ai placé sur une carte de l'Europe la latitude à laquelle se trouvent les deux grandes villes québécoises, Montréal et Québec (*voir la figure 1*). Voici ce que ça donne.

Montréal se situe un peu au nord de Bordeaux, chef-lieu de l'Aquitaine sur la côte Atlantique. Elle se trouve aussi un tout petit peu au sud de Lyon. Ces deux villes, on le sait, sont au cœur de grandes régions viticoles françaises, le Bordelais, la Bourgogne et le Rhône. Ce sont deux villes où le climat est assez doux pour que l'on y trouve des palmiers, quoique ceux-ci, soyons honnêtes, n'ont pas vraiment fière allure. Ce sont aussi deux villes qui font partie du midi de la France, sa partie méridionale à tradition occitane.

Si on poursuit notre périple théorique vers l'est, on découvre aussi que Montréal se situe, en termes de latitude, un tout petit peu au sud de Milan, mais à peu près exactement à la hauteur de Turin et de Venise. La capitale nationale, Québec, patrie du Carnaval, se trouve tout juste au sud des villes de Nantes et de Dijon, et elle est aussi à la même latitude que l'extrême nord de l'Italie.

Figure 1: Montréal et Québec sur une carte de l'Europe

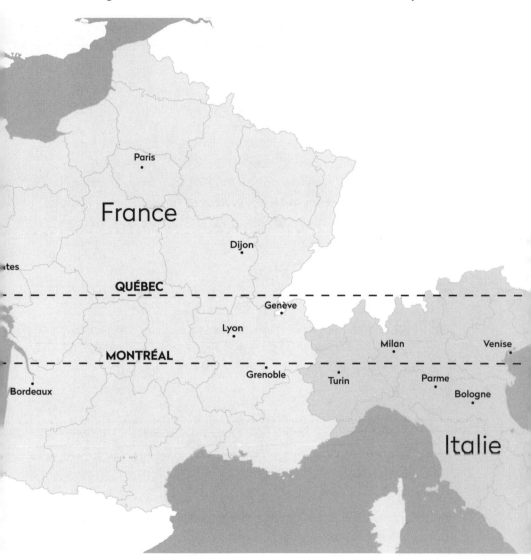

Image : Map of France with Regions par FreeVectorMaps.com

Ce qui distingue ces villes québécoises des villes européennes qui sont à la même latitude qu'elles, c'est évidemment le climat, et surtout le climat de l'hiver. Mais cette rigueur hivernale ne fait pas pour autant de nos villes québécoises de vraies villes du Nord, même si elles en prennent temporairement l'apparence.

LES SCANDINAVES, DES INUITS BLONDS

Et ça, on le voit bien quand on compare la latitude des grandes villes scandinaves à celles des villes québécoises. Il s'agit en fait de l'exercice inverse à celui que je viens de proposer. Au lieu de placer les villes québécoises sur une carte européenne, on place maintenant les villes d'Europe du Nord sur une carte du Québec (*voir la figure 2*).

En termes de latitude, à quelle hauteur seraient des villes nordiques comme Stockholm, Oslo, Copenhague ou Helsinki si elles étaient au Québec? Les résultats sont vraiment étonnants. Quand on leur pose la question, la plupart des Québécois que j'ai interrogés sont franchement en dehors de la plaque, comme je l'ai bien vu en multipliant les petits tests géographiques.

Est-ce que Stockholm serait à la hauteur de Chicoutimi, la seule grande ville québécoise qui se trouve davantage au nord, comme bien des gens me l'ont dit? Absolument pas! Saguenay, à 48° 25' de latitude, se trouve à la hauteur d'Ivry, ce qui la place un peu au sud de Paris. Rouyn-Noranda, Sept-Îles ou Baie-Comeau? Vous ne brûlez même pas. Alors, le barrage Daniel-Johnson, sur la Manicouagan? Vous êtes encore dans le champ.

Oslo, la capitale de la Norvège, ainsi que Stockholm, celle de la Suède, sont essentiellement à la même hauteur, au

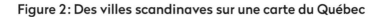

Figure 2: Des villes scandinaves sur une carte du Québec

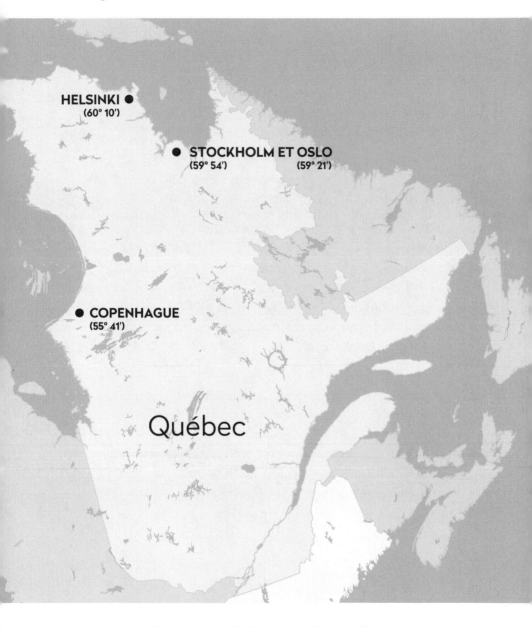

Image: Map of Canada with Provinces par FreeVectorMaps.com

59e parallèle, respectivement à 59° 54' et à 59° 21'. C'est tellement au nord qu'à cette hauteur, il n'y a plus de villes au Québec. Les deux capitales scandinaves seraient au nord du Nunavik, là où l'on ne trouve que de minuscules établissements inuits. Elles seraient en fait à la hauteur de Tasiujaq, dans la baie d'Ungava, un village inuit peu connu de 303 habitants. C'est environ 200 km à vol d'oiseau au nord de Kuujjuaq, l'établissement inuit que nous connaissons mieux grâce aux bulletins météo.

Helsinki, la capitale de la Finlande, à 60° 10', se retrouve, elle, au même niveau que le sud du Groenland et de l'Alaska, à la hauteur de Puvirnituq.

Quant à Copenhague, plus méridionale à l'échelle européenne, plus tempérée, elle se situe à une latitude de 55° 41', ce qui la placerait au nord des barrages de la baie James, sur la lisière inférieure du Nunavik, et donc toujours en territoire inuit, à la hauteur d'un village comme Kuujjuarapik. Autrement dit, si les Scandinaves habitaient sur notre territoire, ils seraient des Inuits blonds aux yeux bleus, l'équivalent américain des Lapons scandinaves.

On pourrait illustrer cette véritable nordicité géographique d'une autre façon : s'il y avait de bonnes routes carrossables et pas trop tortueuses entre le sud du Québec et son Grand Nord, la distance à franchir pour se rendre de Montréal à un point qui correspondrait à la latitude de Stockholm ou d'Oslo serait la même que celle qui sépare Montréal de Jacksonville, au nord de la Floride. Bref, Montréal est plus près de la Floride que du Nord québécois.

LE SENTIMENT DE NORDICITÉ

Cette comparaison a des limites évidentes. Montréal et Québec ont beau être aussi au sud que Lyon et extrêmement loin, en termes de latitude, des capitales scandinaves, elles ont un hiver rigoureux qui leur donne un caractère nordique.

Mais la nordicité, c'est plus que le froid. Le fait de vivre vraiment au nord doit certainement faire une différence, façonner une conscience nordique. Les Suédois, les Norvégiens et les Danois vivent à une latitude où, sur notre continent, on ne trouve que des Inuits. Cela les place dans un environnement particulier qui colore certainement leur perception du monde.

Le cycle des jours et des nuits, à Stockholm, est le même que celui que connaissent nos Inuits, avec d'interminables journées et presque un soleil de minuit l'été, tandis que l'hiver est la saison de la nuit. Au solstice d'hiver, le 21 décembre, le soleil se lève à 8 h 43, et il se couche à 14 h 48. Cela ne peut pas ne pas avoir d'effet.

L'autre facteur qui rappelle aux Scandinaves leur situation nordique, c'est le sentiment d'éloignement dû à la distance qui les sépare du gros de l'Europe et qui leur rappelle sans cesse qu'ils vivent très, très au nord. Un sentiment que connaissent, à plus petite échelle, les Québécois qui vivent en Abitibi ou sur la Côte-Nord. À contrario, cela explique pourquoi nous n'avons pas cette même conscience. Nous savons que nous ne sommes qu'à six heures de voiture de New York et de Boston. Nous savons que nous sommes plus près, en avion, du Yucatan que de la Colombie-Britannique.

Cette situation géographique essentiellement non nordique, l'apôtre de la nordicité qu'est Louis-Edmond Hamelin la documente très bien. Le géographe, dans le cadre de ses recherches, a développé des outils pour mesurer le degré de nordicité d'une région, ce qu'il a appelé des «valeurs polaires», ou «vapos», qui sont en fait un indice de septentrionalité. Cette approche, qui ne consiste pas seulement à tracer une ligne sur une carte géographique, tient compte de facteurs physiques et climatologiques, mais aussi du développement humain.

Ces valeurs polaires sont construites à partir de dix composantes : la latitude évidemment, la moyenne des températures en été, la moyenne annuelle des températures, les types de glace, les précipitations annuelles, le type de végétation, ainsi que des mesures de l'activité humaine, l'accessibilité par route ou par bateau, l'accessibilité par avion, la population et le degré d'activité économique. Chaque indicateur est gradué de 0 à 100, tant et si bien qu'on obtient un indice qui varie de 0 à 1000 – 1000 étant la valeur pour le pôle Nord.

À la suite de ses recherches, M. Hamelin a établi qu'une zone méritait d'être qualifiée de nordique à partir d'un indice de 200. Cette ligne des 200 vapos, qui varie selon les endroits du 48ᵉ au 50ᵉ parallèle, passe au Québec, en gros, par Sept-Îles et Chibougamau. Selon cette définition reconnue, ni le Saguenay–Lac-Saint-Jean, ni l'Abitibi, ni la Haute-Côte-Nord ne font partie du Nord. La ville de Québec, connue pour ses hivers terribles, avec un indice vapo de 125[3], est bien en deçà de cette zone nordique, et Montréal en est encore plus éloignée.

Bref, le Québec que nous habitons, que nous connaissons, n'est pas situé au nord et n'est pas vraiment nordique, sauf pour ses hivers, surtout ses trois mois d'hiver rigoureux. La nordicité véritable, on la trouve plus haut. La question est de savoir si cette nordicité du Nord est vraiment la nôtre. C'est ce que nous verrons au prochain chapitre.

— 3 —
Nous avons toujours tourné le dos au vrai Nord.

Au plan purement statistique, on pourrait toujours affirmer que nous vivons dans un pays nordique. Presque les trois quarts du Québec, 1,2 million de kilomètres carrés, sont franchement situés au nord. La moitié du territoire québécois est couvert de végétation subarctique – la taïga et la toundra – et, encore plus au nord, de glaces polaires.

Mais ce territoire, nous n'y vivons pas, nous ne l'occupons pas vraiment, nous ne nous y intéressons pas et, fondamentalement, nous ne l'aimons pas. C'est comme si le Québec était coupé en deux. Le Québec normal, celui du Sud, et le Québec du Nord, une terre lointaine, inaccessible, qu'on a laissée aux autochtones et au développement des ressources naturelles.

Cette coupure, je ne l'invente pas. Elle est profonde, elle est fondatrice et elle décrit le fait que, pour la grande majorité des Québécois, la façon de définir leur identité n'englobe pas vraiment ce Nord, sauf pour quelques rares sursauts d'intérêt sporadique.

Cela tient à des facteurs purement physiques, comme le fait que nous n'habitons pas ce Nord, que nous n'y allons jamais, notamment parce que les liens routiers et aériens sont déficients, et donc que nous ne le connaissons pas. Mais il y a quelque chose de plus profond selon moi, une forme de rejet, comme si notre inconscient collectif n'était pas nordique ou assumait très mal sa nordicité. Ce sont les deux volets que j'explorerai dans ce chapitre.

UNE TERRE INHABITÉE

Le premier volet, celui de l'occupation du territoire, est assez facile à décrire. Les photos très parlantes de la Terre, prises la nuit par les satellites de la NASA, suffisent. Dans la figure 3, une image composite de l'Amérique du Nord, les éclats de lumière décrivent l'intensité de l'activité humaine.

Figure 3: Une photo satellite de l'Amérique du Nord la nuit

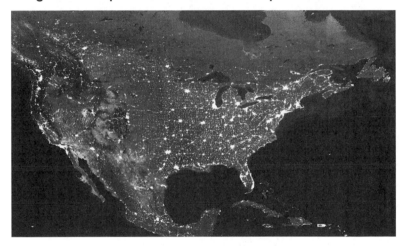

Source: Courtoisie de Marc Imhoff, NASA, GSFC et Christopher Elvidge, NOAA NGDC. Image de Craig Mayhew et Robert Simmon, NASA GSFC.

La vaste zone illuminée, à droite sur la photo, décrit bien le fait que l'est des États-Unis est très fortement occupé et développé. On voit aussi que le centre et l'ouest des États-Unis, formant une vaste partie assez sombre, sont relativement peu peuplés, sauf la côte Pacifique. On décèle aussi une ligne diagonale qui part des Grands Lacs en remontant légèrement vers le nord à mesure qu'on se déplace vers l'ouest. Cette ligne de lumière décrit en fait le peuplement canadien, largement concentré, le plus au sud possible, le long de la frontière canado-américaine. On voit aussi que les portions nordiques du Canada sont noires, et donc largement inhabitées.

C'est la même chose pour le Québec, en haut et à droite de la photo satellite. Le point lumineux le plus intense, c'est Montréal, flanqué de deux autres points lumineux de plus petite taille, Ottawa au sud-ouest et Québec un peu au nord-est, ainsi qu'un autre petit point un peu plus haut, Chicoutimi. Sinon, c'est la grande noirceur, le vide, le Nord. Cette absence de points lumineux nous dit qu'il n'y a pas de centres urbains plus au nord. Mais nous savons aussi qu'il n'y a pas non plus de population significative sur ce territoire. Au Québec, tout comme ailleurs au Canada, la très grande majorité des gens vivent à moins de 150 km de la frontière canado-américaine. Et si cette frontière avait été tracée plus bas, nous nous serions sans doute déplacés encore plus au sud.

Le gouvernement du Québec, dans son Plan Nord, définit officiellement le Nord comme tout le territoire qui se trouve au-delà du 49e parallèle, à l'exception de l'île d'Anticosti et de la pointe septentrionale de la Gaspésie. Comme le montre la figure 4 (voir page 30), la limite inférieure de ce Nord suit une ligne qui, en gros, va de Baie-Comeau à Lebel-sur-Quévillon. On y trouve les monts Valin, Matagami, Chapais, Chibougamau, la Basse-Côte-Nord, Manicouagan et Fermont[4]. Mais ce Nord ne comprend ni le Saguenay–Lac-Saint-Jean ni l'Abitibi. Cette définition du Nord est un peu arbitraire, mais elle n'est pas très loin du territoire défini par le géographe Louis-Edmond Hamelin, qui fixe plutôt la frontière entre le Sud et le Nord selon une ligne irrégulière en fonction de son indice des valeurs polaires.

La carte de la figure 4 (voir page 30) montre bien l'immensité de ce territoire. Mais il s'agit d'un territoire vide. Le Nord comprend deux régions administratives, le Nord-du-Québec et la Côte-Nord – sauf la portion de la Haute-Côte-Nord (comme Tadoussac) –, auxquelles on ajoute la pointe nord du Saguenay–Lac-Saint-Jean. Selon les données du Plan Nord, on y trouve environ 120 000 habitants, dont 33 000 autochtones – des Innus, des Cris, des Inuits et quelques Naskapis. Cela ne représente qu'environ 1,5 % de la population québécoise totale, ce qui est extrêmement peu.

LE PAYS DE LA TAÏGA ET DE LA TOUNDRA

Je vais maintenant décrire ce vrai Nord un peu plus en détail. Cela peut sembler être une digression, mais l'exercice n'est pas inutile quand on prend conscience de notre méconnaissance collective des réalités nordiques. Cette brève description permettra aussi de démontrer pourquoi la majorité des Québécois estiment ne pas avoir d'affinité naturelle avec cette vaste zone.

Le géographe Louis-Edmond Hamelin distingue trois zones dans ce vaste territoire nordique. D'abord, ce qu'il appelle le Moyen Nord, dont les valeurs polaires, les «vapos», vont de 200 à 500. Il est bordé au sud par Matagami, Chibougamau, ou par la Basse-Côte-Nord jusqu'à Blanc-Sablon. Ce territoire, dont les températures moyennes sont au-dessous de zéro six ou sept mois par année, constitue une zone climatologique subarctique[5].

Selon les catégories du gouvernement du Québec, qui décrit les zones de végétation et les domaines bioclimatiques, ce Moyen Nord se divise en deux. La partie plus au sud, du 49e au 52e parallèle, est le domaine de la pessière à mousses, un cou-

Figure 4: Le Nord selon Louis-Edmond Hamelin et selon le Plan Nord

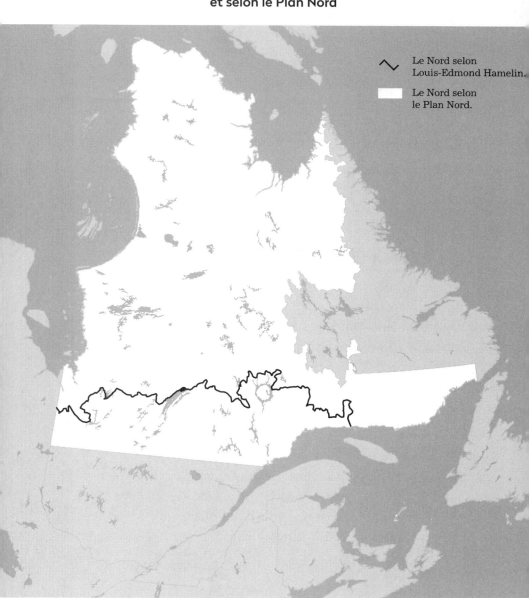

Le Nord selon Louis-Edmond Hamelin.

Le Nord selon le Plan Nord.

Image : Map of Canada with Provinces par FreeVectorMaps.com

vert forestier dominé par l'épinette noire, le sapin baumier, des feuillus comme le bouleau blanc, le peuplier faux-tremble ou le peuplier baumier. Les sous-bois y sont couverts de plantes arbustives éricacées. C'est ce qu'on trouve au nord de l'Abitibi[6].

Encore plus haut, toujours dans ce vaste Moyen Nord mais à la hauteur de Schefferville ou de Fermont, on évolue vers une autre zone qui, en gros, recouvre le territoire de la Convention de la Baie-James, dont la végétation, la pessière à lichen, correspond à ce qu'on appelle la taïga, avec encore de l'épinette noire, plus petite et plus clairsemée, un tapis de lichen et des périodes de gel d'au moins huit mois.

Le Grand Nord, lui, débute à la frontière qui sépare le territoire de la baie James, celui des Cris, et le Nunavik, celui des Inuits. Les seuls établissements humains sont des villages inuits, comme Puvirnituq et Kuujjuaq. Les valeurs polaires y varient de 500 à 800. Les mois de gel y sont encore plus fréquents, soit 10 ou 11 mois par année. Le sud de cette zone, en gros du 55e au 58e parallèle, est celui de la toundra forestière, avec des arbres dans les zones protégées, sinon des arbustes. Dans le nord de cette zone, on entre carrément dans le domaine arctique, du 58e au 61e parallèle, avec la toundra arctique arbustive – des saules et des bouleaux nains, des plantes herbacées, des mousses et des lichens.

Enfin, l'Extrême Nord est la zone des glaces sur la mer, du sol gelé en profondeur de façon permanente (le pergélisol) et des glaciers. Une terre inhabitée, sauf pour quelques postes. On y trouve une certaine végétation, soit la toundra arctique herbacée. Le climat régional est si rigoureux que même les arbustes sont rares et de petite taille, et les mousses et les lichens ne couvrent pas toujours le sol rocheux. Quant au pôle, il n'est pas au Québec, mais à des centaines de kilomètres au nord des côtes canadiennes.

Ce bref survol illustre bien à quel point le climat et la végétation de ce Nord sont éloignés de l'expérience de la majorité des Québécois. Il contribue à expliquer pourquoi nous n'avons pas peuplé ce territoire. Il permet aussi de mettre en relief une autre réalité : le faible pouvoir d'attraction du Nord sur les populations du Sud. Y a-t-il une soif, chez les Québécois du Sud, pour les mousses, les lichens et les arbustes nains ?

LE REFUS DU NORD

Ce refus du Nord, on l'observe dès le début du peuplement européen. Il est vrai qu'au tout début de son histoire, la Nouvelle-France, qui faisait en bonne partie reposer son développement sur le commerce de la fourrure, a tissé certains liens avec ce Nord. Ces activités ont donné naissance à un mode de vie qui fait partie de nos racines, celui des coureurs des bois et des aventuriers qui ont découvert ce territoire – ou plutôt qui ont été les premiers Européens à le parcourir. Si ceux-ci sont bien allés vers le nord pour le commerce des pelleteries avec les autochtones, les liens commerciaux ainsi créés n'ont pas mené à une colonisation ou à des établissements permanents.

Par la suite, le développement de la Nouvelle-France s'est poursuivi à travers la colonisation, l'arrivée de cultivateurs, d'artisans et de militaires qui ont choisi de s'établir, qui ont pris possession du territoire, l'ont défriché et l'ont exploité. Ce peuplement agricole s'est concentré dans la plaine du Saint-Laurent, de part et d'autre du fleuve, parce que celui-ci était une voie de navigation et de circulation, que les terres y étaient fertiles et que le climat y était le plus propice à l'agriculture. Ces premiers Canadiens français se sont concentrés au sud, là où le climat était le plus clément, et se sont en fait entassés près de l'actuelle frontière avec les États-Unis. On peut supposer que si la ligne de démarcation définitive entre les deux pays avait été fixée plus bas, les Québécois seraient allés encore plus au sud.

Quand les Canadiens français ont voulu explorer ce continent et élargir leur aire de peuplement et d'activité, ce n'est pas vers le nord qu'ils sont allés. Les explorateurs se sont dirigés vers l'ouest et vers le sud-ouest, ils se sont rendus jusqu'aux Rocheuses, ils ont descendu le Mississippi, ils ont fondé Détroit, ils ont en fait « découvert » une majorité des États américains – ou plutôt, ils ont été les premiers Européens à y mettre les pieds. Ils ont par la suite accompagné les Américains dans la conquête de l'Ouest. Et lorsqu'ils ont voulu essaimer vers le nord, ce n'est pas le Nord québécois qu'ils ont choisi, mais plutôt celui des Prairies canadiennes, assez pour contribuer à la création d'une nouvelle culture, celle des Métis, assez pour être les fondateurs des provinces du Manitoba et de la Saskatchewan.

UNE DÉCOUVERTE TIMIDE ET TARDIVE

Il a fallu beaucoup de temps avant que les Québécois s'intéressent à leur propre Nord. Québec a été fondée en 1608, Montréal en 1642. Pourtant, il faudra attendre deux siècles et demi avant que les Canadiens français, concentrés le long du fleuve, commencent à aller au-delà de la plaine du Saint-Laurent et à regarder un peu vers le nord. Pas même le vrai nord, plutôt le nord immédiat.

Le Québec a connu une crise au XIXe siècle, quand les terres ne pouvaient plus soutenir les familles nombreuses et quand l'industrie naissante ne suffisait pas à prendre le relais. Mais cela n'a pas poussé les Canadiens français à investir le Nord. C'est surtout vers le sud, vers les États-Unis, qu'ils ont choisi d'aller par centaines de milliers dans un véritable mouvement d'exode, surtout en Nouvelle-Angleterre, pour y trouver de l'emploi et peut-être faire fortune.

La colonisation du Saguenay a commencé à peu près à la même époque, mais de façon beaucoup plus timide et limitée. La région, avant 1830, n'était pas habitée par les Blancs. C'est la demande pour le bois qui a déclenché le développement de l'industrie forestière et un petit boom de peuplement entre 1850 et 1870, qui a porté la population à 20 000 personnes, surtout à partir de Charlevoix, région qui a exporté ses Tremblay vers le pays du bleuet. Chicoutimi a été fondée en 1842, Jonquière en 1847, Roberval en 1849. Par la suite, au tournant du XXe siècle, le développement s'est poursuivi avec l'activité agricole, possible autour du lac Saint-Jean, et avec l'essor de l'industrie des pâtes et papiers, le développement des ressources énergétiques ayant ensuite permis l'implantation de l'aluminium.

L'aventure des Laurentides est encore plus récente. À l'époque, dans la région montréalaise, le nord s'arrêtait à Terrebonne et Saint-Jérôme. Le curé François-Xavier-Antoine Labelle, le « roi du Nord », est au cœur de ce projet de colonisation qui s'est révélé être insensé. Ce curé de Saint-Jérôme a voulu enrayer l'émigration des Canadiens français vers les États-Unis en leur proposant de devenir cultivateurs dans les Laurentides. Aux alentours de 1875, il a réussi à convaincre 5000 personnes d'aller vers le nord et à vendre l'idée d'un chemin de fer, le P'tit train du Nord, dont il ne reste qu'une piste cyclable. Une espèce de folie, décrite de façon idéalisée dans *Les belles histoires des pays d'en haut,* parce que la terre pauvre des Laurentides ne permettait pas à ces colons de vivre de l'agriculture. Le succès a été dérisoire quand on pense qu'un million de Canadiens français sont partis pour les « États » dans la même période. Ce qui a sauvé les Laurentides, c'est la forêt, et ensuite le tourisme. Mais ce qu'il me paraît important de dire, c'est que ce qu'on appelle encore le Nord n'a été développé que très tardivement. Et que ce Nord n'est qu'à une heure de voiture de Montréal !

La troisième aventure, encore plus récente, a porté vers le Nord-Ouest québécois, l'Abitibi, essentiellement au début du XXᵉ siècle, pour l'activité forestière et surtout pour l'activité minière. Il s'agit d'un peuplement extrêmement récent. Rouyn et Noranda ont été fondées en 1917 avec la découverte d'un gisement de cuivre, et Val-d'Or en 1930, pour l'activité aurifère. Quant à la Côte-Nord, ce n'est qu'en 1879 qu'une école a été construite à Sept-Îles, tandis que le développement de Baie-Comeau n'a commencé qu'en 1936.

Autrement dit, les Québécois, entassés au sud et le long du fleuve, n'ont fait que des incursions très timides vers le nord du territoire et ne sont pas allés très haut, et ce déplacement modeste a été très tardif. Assez pour dire que le Nord, le vrai, ne fait pas vraiment partie de notre histoire, de notre mémoire collective ni donc de notre identité.

UN MONDE INHOSPITALIER

Pourquoi ? D'abord pour une raison extrêmement simple. Dès qu'on quitte les zones actuelles de peuplement pour s'aventurer un peu plus au nord, on découvre un territoire inhospitalier aux hivers très rigoureux, où la vie quotidienne est très difficile et où l'activité agricole est impossible. Comme l'agriculture, jusqu'à tout récemment, constituait le gros de l'activité économique et le principal moyen de subsistance au Québec, ce climat hostile excluait la possibilité d'un peuplement significatif. Le seul mode de vie traditionnel compatible avec ces régions, c'est celui qui repose sur la pêche et la chasse, et donc celui des autochtones.

Ensuite, parce que c'est une région inaccessible. Avant l'industrialisation, il n'y avait aucune façon simple et rapide d'aller vers ce Nord, aucune voie fluviale naturelle, aucun accès praticable. Ça n'a pas vraiment changé. L'étendue du territoire, l'éloignement et la faible occupation font en sorte que les liens routiers sont sommaires et incomplets, les distances sont colossales et les liaisons aériennes sont limitées et hors de prix – par exemple 2000 $ pour aller à Kuujjuaq ou 1000 $ à 1500 $ pour se rendre à Chibougamau. La question que se poseront les Québécois du Sud – question qui n'est pas très sympathique pour nos concitoyens du Nord – c'est pourquoi aller à Chibougamau quand ça coûte trois fois moins cher pour aller à Varadero ?

La troisième raison, non dite, c'est que ce territoire est essentiellement peuplé par des autochtones, et ce, depuis des temps immémoriaux. Même si on y trouve des fonctionnaires du Sud et de petites populations blanches à cause de l'activité minière, c'est le territoire des Premières Nations, les seules qui l'occupent et dont le mode de vie est adapté au lieu. Implicitement, nous avons réagi comme si ce territoire n'était pas vraiment le nôtre, d'autant plus que la symbiose culturelle entre Premières Nations et descendants d'Européens ne s'est pas faite.

Le seul rapport que, collectivement, les Québécois entretiennent avec le Nord, c'est un rapport de possession. Le Nord n'est peut-être pas « chez nous », mais c'est « à nous ». On réagit comme les propriétaires du Nord. On affirme que ce Nord, dont on se fiche, fait partie de notre territoire uniquement quand notre souveraineté sur ce Nord est remise en cause. Chaque fois, par exemple, que les Premières Nations ont voulu dire leur mot sur le développement de leur territoire, les Québécois les ont vus comme des empêcheurs de tourner en rond, comme ceux qui bloquaient le développement avec leurs barrages routiers ou leurs pèlerinages à l'ONU. C'est avec beaucoup de réticence que la majorité a accepté la Convention de la

Baie-James ou la Paix des braves. Les Québécois ont également vivement réagi lors du débat référendaire de 1995 quand des Premières Nations ont évoqué l'idée de rejoindre le reste du Canada avec les territoires qu'elles estiment être les leurs. Les frontières du Québec devenaient soudainement inviolables, et la souveraineté sur des territoires d'habitude sans intérêt pour les Blancs devenait non négociable.

À part ce sentiment de propriété, les liens avec le Nord, très récents dans notre histoire, restent essentiellement utilitaires et ponctuels. On s'intéresse au Nord quand on en a besoin pour ses ressources : l'hydroélectricité de la Manicouagan, celle de Churchill Falls au Labrador, les grandes centrales de la baie James, le Plan Nord, les mines, qui ont mené à la naissance des villes de la Côte-Nord dans la première moitié du XXe siècle et à quelques établissements miniers plus nordiques – Chibougamau, Chapais, Fermont.

La donne a toutefois changé parce que les plus récentes incursions vers le nord ne s'accompagnent plus de la création d'établissements permanents. Les grands chantiers hydro-électriques ont été construits à partir de campements temporaires, et le développement minier récent ne repose plus comme autrefois sur la création de villes minières. On préfère les séjours temporaires avec navettage, le « *fly-in fly-out* ».

Ces rapports utilitaires avec le Nord ne nourrissent pas une quelconque forme d'affection ou un sentiment d'appartenance. Il y a eu quelques moments d'émotion à l'égard du Nord au moment de la réalisation des grands barrages, quand on s'est arrêtés brièvement sur la beauté des paysages et sur les espaces sans fin. Mais pas longtemps. Et pas assez pour y aller.

Cela m'a frappé quand Jean Charest, en 2008, a lancé en grande pompe ce qui était son bébé, le Plan Nord. Son annonce à grand déploiement, dans un cadre partisan, a été faite en misant sur l'émotion que pourrait susciter le Nord, avec des écrans géants qui bombardaient l'auditoire d'images de sa beauté – ses lacs, ses fjords, ses villages autochtones. Cette présentation, presque lyrique, visait peut-être à humaniser le caractère foncièrement minier du projet auprès d'une population qui n'a aucun atome crochu avec le développement minier. Mais elle correspondait aussi à la vision du premier ministre Charest qui voulait proposer une autre conception du Québec, se réapproprier cette partie majeure du territoire.

Certains volets très critiqués du Plan Nord, comme la construction de routes et de chemins de fer que l'on a qualifiés de «cadeaux aux minières», avaient aussi pour but de désenclaver le Nord, de l'ouvrir au tourisme, de permettre à ses habitants d'avoir accès au Sud, mais aussi de donner aux Québécois du Sud la possibilité de découvrir le Nord.

C'est ainsi que Jean Charest lançait: «Et c'est chez nous, c'est au Québec. Non seulement c'est chez nous, c'est en nous», ajoutant qu'«il faut absolument occuper notre territoire». Ce discours résolument nordiste est totalement tombé à plat. Il n'intéressait pas les médias, qui ne l'ont pas relayé, et il ne touchait aucune corde sensible dans la population.

Cette indifférence, on la voit aussi à la difficulté de vendre le potentiel touristique du vrai Nord. À défaut d'y vivre, les Québécois pourraient vouloir y aller, comme on va en Islande, pour s'immerger dans sa beauté et pour voir de près son caractère unique. Le tourisme vraiment nordique est pourtant quasi inexistant, et les activités nordiques, que l'on propose prudemment plus au sud – les rallyes, les expéditions en motoneige, les traîneaux à chiens, le château de glace près de Québec, les nuits dans une maison longue –, ont plus de succès auprès des clientèles européennes que québécoises.

C'est comme si les Québécois se disaient qu'ils ont déjà assez d'hiver comme ça et qu'ils n'ont pas l'intention de payer le gros prix pour en avoir encore plus. À plus forte raison, ils n'ont pas l'intention de sacrifier leur été trop court pour aller geler au Nord. Le fait que la poésie du Nord ne prend pas, on le voit aussi à la façon dont les Québécois du Sud voient l'Abitibi, la zone de transition entre les deux mondes, qu'ils associent aux mouches noires et aux forêts trop maigrichonnes. Les Québécois du Sud ne tombent pas sous le charme des paysages abitibiens, et s'ils vont en Abitibi, c'est plutôt pour la chaleur et le dynamisme de ses habitants. Ce serait encore plus difficile de leur vendre la beauté de la taïga...

Voilà pourquoi les Québécois, même si la majeure partie de leur territoire est nordique, ne le deviennent pas eux aussi. Ce n'est pas une coquetterie, c'est un réflexe profondément enraciné dans l'histoire, la géographie et la réalité économique. Et ce n'est pas le genre de rapport au territoire qui peut se changer en quelques années au gré des effets de mode.

— 4 —
Notre hiver est le pire du monde développé.

L'hiver du Québec est le pire hiver du monde industrialisé. C'est également vrai de l'hiver presque partout au Canada. Il ne s'agit pas d'une figure de style, mais d'une réalité vérifiable et mesurable. Notre hiver n'est pas nordique, il est plutôt polaire. Ces conditions extrêmes expliquent pourquoi bien des Québécois détestent l'hiver et que la plupart des autres entretiennent avec cette saison des rapports d'amour-haine. Elles expliquent certainement pourquoi les Québécois n'embrassent pas la nordicité avec l'enthousiasme que manifestent certains Scandinaves.

En principe, même si nous sommes beaucoup plus au sud que les pays scandinaves, on aurait pu croire que cette froidure de l'hiver, en donnant un caractère véritablement nordique au Québec, devrait, du moins pendant quelques mois, nous rapprocher des véritables pays du Nord et de la culture de ses habitants. Ce n'est pas ce qui se produit, parce que notre hiver ne ressemble absolument pas à celui des pays scandinaves. Il est vraiment pire. Il est assez froid et assez dur pour avoir un effet repoussoir sur un bon nombre de Québécois, et assez pour tuer les élans nordiques qui pourraient sommeiller en eux.

PIRE QU'À MOSCOU

Les comparaisons des conditions climatiques des diverses régions du monde portent souvent sur la météo dans les capitales, sans doute parce que c'est un des facteurs dont les gouvernements tiennent compte pour l'affectation de leurs diplomates. La chaîne Météomédia, dans cette logique, a proposé un « Top 5 » des capitales les plus froides du monde en comparant la température moyenne pour les trois principaux mois d'hiver, soit décembre, janvier et février[7].

La capitale la plus froide, c'est Oulan-Bator, en Mongolie. Elle connaît une température moyenne de –19 °C de décembre à février. La deuxième, c'est Astana, une ville dont la plupart d'entre nous n'ont jamais entendu parler. Elle est la capitale du Kazakhstan et est tout aussi glaciale, avec –15 °C.

Et quelle est la troisième ? Ottawa, avec une température moyenne pour les mêmes trois mois de –8 °C. Cela fait d'Ottawa la capitale la plus froide du monde développé, et ce, sans compter les 235 cm de neige qui tombent en moyenne annuellement sur la région, ce qui n'est pas le cas à Oulan-Bator ni à Astana, qui sont situées dans des régions arides où les précipitations sont presque inexistantes.

Contrairement à ce que l'on aurait pu croire, il fait plus froid en hiver à Ottawa qu'à Moscou, qui occupe la quatrième place et où la moyenne des températures n'est que de –6 °C. En cinquième place, on retrouve Helsinki, en Finlande, le plus froid des pays européens nordiques, avec –5 °C.

Et comme il fait un peu plus froid à Montréal qu'à Ottawa, on peut dire que Montréal, avec sa température moyenne de –8,3 °C en hiver, est plus froide que Moscou. Cela fait de Montréal la métropole la plus froide du monde. Québec est une ville encore plus froide, avec –10,3 °C, mais elle n'est pas la seule ville de cette taille à autant souffrir des rigueurs du climat, notamment parce que l'on retrouve des températures hivernales semblables, et mêmes pires, ailleurs dans l'Ouest canadien.

Selon une autre mesure, un indice de rigueur du climat développé par Environnement Canada et qui tient compte du confort et du bien-être, l'hiver montréalais serait toutefois un tout petit peu moins pire que celui de la capitale russe. Cet indice utilise trois données pour mesurer l'inconfort de l'hiver : le refroidissement éolien, qui reflète l'impact des températures basses combinées à des vents forts, la durée de l'hiver, soit le nombre de mois dont la température moyenne est sous zéro, et la température moyenne du mois le plus froid.

Un grand spécialiste des villes d'hiver, l'urbaniste canadien Norman Pressman, professeur émérite de l'Université de Waterloo, a utilisé cet indice pour comparer des villes canadiennes et d'autres villes du reste du monde[8]. Québec, avec un indice de 54, Saskatoon, de 55, et Winnipeg, de 56, sont les villes les plus froides du monde développé, à part les villes sibériennes d'Irkoutsk et de Novossibirsk. Elles sont plus froides que Moscou, avec un indice de 52. Montréal et Edmonton seraient un peu moins inconfortables, avec 49. Mais Montréal reste un membre à part entière du club du froid, loin devant les villes nordiques comme Oslo qui, avec 42, est un peu plus douce que Toronto (43), et à plus forte raison loin devant Copenhague (25) ou Stockholm (36).

LA DOUCEUR SCANDINAVE

Si nous avons si froid, même si nous sommes situés assez au sud, c'est en raison de notre position géographique. Le courant-jet se déplace d'ouest en est, tout comme, la plupart du temps, les systèmes météorologiques. Quand on regarde les bulletins météo, ce que font religieusement les Québécois, on voit bien que les tempêtes, les précipitations et les régimes de haute pression nous viennent le plus souvent des Prairies. La plupart du temps, on sait ce qui va nous arriver en observant l'évolution des systèmes qui traversent le Canada. Tout vient de l'ouest ou du nord-ouest, avec de l'air glacial polaire, ou du sud-ouest, avec des vents chauds. Ça n'arrive presque jamais que les phénomènes climatologiques nous viennent de l'est. Par exemple, les tempêtes tropicales de l'été, ou les spectaculaires tempêtes de neige qui déferlent sur New York ou Boston, peuvent s'attaquer aux provinces maritimes, mais elles nous épargnent presque toujours.

Ces mouvements font en sorte que le Québec a un climat continental qui n'est pas tempéré par la mer, même si nous ne sommes pas très éloignés de l'océan Atlantique. On le décrit comme un climat continental humide, avec des hivers froids et longs et des étés chauds et humides.

C'est très différent de ce qui se passe dans les pays scandinaves et en Finlande, nos points de comparaison européens. Ces pays, à l'est de l'océan Atlantique, sont baignés et influencés par la mer dont les eaux sont encore réchauffées par ce qui reste du Gulf Stream. Cela fait en sorte que le Danemark, la Suède et la Norvège, surtout leur portion ouest, et même la Finlande, ont des hivers beaucoup plus doux que les nôtres malgré leur situation nordique.

Pour une année normale à Montréal, les statistiques météorologiques d'Environnement Canada indiquent que les maximums moyens sont de –2,2 °C en décembre, –5,7 °C en janvier et –3,9 °C en février, pour repasser au-dessus du point de congélation en mars avec 2,2 °C. Les températures minimales pour ces mêmes mois sont de –10,4 °C, –14,7 °C, –12,9 °C et –6,7 °C.

À Copenhague, pour ces quatre mois, les maximums sont toujours au-dessus de zéro : 4 °C en décembre, 2 °C en janvier, 3 °C en février et 5 °C en mars. La température passe sous la barre du point de congélation la nuit, mais à peine : –0,2 °C en décembre, –1,7 °C en janvier, –1,9 °C en février et –0,4 °C en mars. Cela ressemble un peu à Vancouver.

À Stockholm, une ville plus nordique au climat un peu plus rude, les maximums restent néanmoins légèrement autour du point de congélation pour tous les mois d'hiver, mais la température tombe un peu au-dessous de zéro la nuit. Dans l'ensemble, l'hiver à Stockholm, c'est un peu comme le mois de mars à Montréal.

Il fait un peu plus froid à Oslo, mais rien qui ressemble au climat québécois. Des maximums juste au-dessous de zéro, avec des minimums qui ressemblent à nos maximums. Même Helsinki a un climat nettement plus clément que le nôtre.

Tableau 1 : Les maximums d'hiver à Montréal et dans les capitales nordiques, en degrés Celsius

	Décembre	Janvier	Février	Mars
Montréal	–2,2	–5,7	–3,9	2,2
Copenhague	4,0	2,0	2,0	5,0
Stockholm	1,0	0,0	0,0	3,0
Oslo	1,0	–2,0	–1,0	3,5
Helsinki	1,0	–3,0	–3,0	1,0

Source : Environnement Canada, Météomédia, Weatherandclimate.com

Tableau 2: Les minimums d'hiver à Montréal et dans les capitales nordiques, en degrés Celsius

	Décembre	Janvier	Février	Mars
Montréal	–10,4	–14,7	–12,9	–6,7
Copenhague	0,0	–2,0	–2,0	–1,0
Stockholm	–2,0	–4,0	–4,0	–2,0
Oslo	–6,0	–7,0	–7,0	–3,0
Helsinki	–6,0	–9,0	–9,0	–6,0

Source: Environnement Canada, Météomédia, Weatherandclimate.com

Ces données, qui sont des moyennes calculées sur une longue période, ne reflètent évidemment pas ce que le Québec a connu en 2015, avec un mois de janvier de deux degrés sous les normales de saison, ce qui est en principe considérable en météorologie, et le mois de février le plus froid de l'histoire du Québec pour la très grande majorité des régions. À Montréal, les températures moyennes ont atteint –15,2 °C, relayant aux oubliettes l'ancienne marque de –14,1 °C enregistrée en 1993. En moyenne, il fait –7,7 °C en février. L'écart est donc colossal. À Québec, février 2015 a aussi été le plus froid, avec –17,6 °C, bien au-dessous de la moyenne de –10,6 °C. En plus de ces grands froids, le Québec n'a pas connu de redoux ou même de température clémente. Jamais les températures n'ont dépassé le point de congélation en janvier et en février, même pas à Montréal. Cela n'est arrivé qu'une seule fois en 73 ans.

UNE RUPTURE DU MODE DE VIE

Avec des températures pareilles, il neige parfois à Copenhague, mais pas beaucoup, pas souvent. La ville danoise a surtout droit à de la pluie, et quand il y a de la neige, celle-ci fond rapidement. La neige est si peu fréquente qu'il n'existe pas de statistiques météorologiques officielles sur la quantité de précipitations de neige.

Stockholm subit de bonnes tempêtes de neige, mais comme à Boston, cette neige finit par fondre. Il n'y a pas de couvert neigeux permanent comme c'est le cas à Montréal, où il tombe en moyenne 226 cm de neige qui reste au sol de 10 à 12 semaines, de la mi-décembre au début avril. En fait, un spécialiste comme Norman Pressman estime que Copenhague et Stockholm ne peuvent même pas être décrites comme des villes d'hiver!

Ces différences significatives dans la température et les précipitations peuvent expliquer pourquoi les Scandinaves réagissent mieux à l'hiver que nous. Les écarts entre les conditions climatiques des pays scandinaves et les nôtres sont assez grands pour avoir une autre conséquence, beaucoup plus profonde. L'intensité du froid au Québec impose une rupture dans la poursuite normale des activités humaines. Tout est là. Ces contraintes propres à notre climat d'hiver nous forcent à modifier radicalement notre mode de vie et ont une grande influence sur nos rapports à l'hiver. C'est là une différence majeure, fondamentale, entre le Québec et les pays du nord de l'Europe.

Bien sûr, il fait quand même froid dans les villes scandinaves et, surtout, les mois d'hiver n'y sont pas vraiment agréables, à cause de la pluie, de l'humidité et de l'absence de soleil. Mais il est possible, en s'habillant un peu plus chaudement, de poursuivre la plupart de ses activités habituelles. Pas ici. La rupture est d'autant plus nette qu'au Québec, le sol est recouvert de neige et de glace de façon permanente pendant quatre mois. Ça recouvre tout, ça nous force à tout rentrer à l'abri, ça rend bien des endroits inaccessibles pendant quelques mois. Ce problème n'existe pas dans les villes scandinaves.

Le climat à Copenhague et à Stockholm est assez doux pour que l'on puisse fonctionner de la même façon en février qu'en juillet. Quand il fait un peu au-dessus de zéro, au lieu de –5 °C ou –10 °C, voire pire, il est certainement plus facile de faire du vélo, de s'asseoir sur un banc dans un parc, de prendre un café dehors au soleil, de manger un petit quelque chose à un kiosque ambulant. Oubliez la bouffe de rue en janvier au Québec.

Il y a des choses que l'on ne peut pas faire quand il fait −20 °C. Il y a des choses que l'on ne peut pas faire quand il y a deux mètres de neige au sol. On le voit au Québec, en mars, quand le soleil nous réchauffe. Les gens allument les barbecues, les stations de ski sortent les tables de pique-nique. Ce n'est tout simplement pas possible plus tôt dans la saison hivernale.

C'est le genre de choses qu'on semble oublier dans nos comparaisons avec les pays modèles du Nord. Bien des urbanistes rêvent de la «copenhaguisation» de Montréal, en s'extasiant devant les pistes cyclables ouvertes 12 mois par année et rapidement déneigées, en s'émerveillant du fait que 70 % des cyclistes copenhagois utilisent aussi leur vélo l'hiver. Même s'il faut applaudir le fait que la capitale danoise déneige les pistes cyclables avant les routes, notons qu'il est quand même plus facile de laisser des pistes cyclables ouvertes quand la neige fond toute seule. Il est aussi plus naturel de prendre son vélo pour aller au travail le matin quand il fait 2 °C plutôt que −15 °C.

L'idéalisation des pays scandinaves et l'ignorance des réalités de ces pays sont bien résumées dans cet extrait d'un mémoire de l'Ordre des architectes : «Enfin, la fermeture des pistes cyclables entre le 15 novembre et le 1er avril freine l'élan de milliers de personnes qui le reste de l'année effectuent quotidiennement le trajet entre la maison et le boulot. Montréal a beau être une ville nordique, on exagère souvent l'ampleur des chutes de neige. Dans les faits, la chaussée est bien souvent sèche pendant les mois d'hiver[9].»

Pas toujours vrai. En janvier et février 2015, par exemple, la succession de neige et de pluie, suivie d'une chute brutale des températures et d'une absence de redoux, a fait en sorte que les surfaces ont été recouvertes pendant des semaines d'une couche de glace et de neige que les abrasifs et la machinerie n'ont pu vaincre, ni dans les rues, ni sur les trottoirs, ni sur les pistes cyclables. Il aura fallu 11 semaines pour que Montréal retrouve des trottoirs secs et des pistes cyclables vraiment cyclables.

Et surtout, il y a quelque chose qui s'appelle la température. J'aimerais voir «l'élan» des Montréalais quand il fait –10 °C ou –15 °C. Je ne veux pas partir en croisade contre l'utilisation du vélo l'hiver, c'est un choix personnel valide quoique téméraire, mais il faut rêver en couleur pour y voir une solution au transport urbain hivernal.

UN HIVER BRUTAL

On connaît le dicton : quand on se regarde on se désole, quand on se compare on se console. Il ne tient pas la route dans ce cas-ci. Car, c'est quoi l'hiver ? Pas seulement des statistiques météo. L'hiver, c'est une multitude d'effets petits et grands sur notre corps, nos activités, notre vie quotidienne.

L'hiver, au Québec, c'est d'abord le froid. Il ne fait pas toujours très froid, mais il y a quand même de nombreuses journées où les températures sont inférieures à –10 °C le jour et à –20 °C la nuit, avec des froids encore plus marqués quand on tient compte du facteur éolien. Nous savons que l'impact du froid sur le corps humain augmente de façon exponentielle à mesure que tombe le mercure. Et nous sommes souvent confrontés ici à des températures où l'on gèle, avec l'inconfort que cela provoque, indépendamment des pelures que nous pouvons ajouter.

Connaissez-vous beaucoup de gens qui trouvent qu'avoir froid est une sensation agréable, qui se réjouissent à l'idée de grelotter ou d'avoir les pieds ou les doigts engourdis ? Moi pas. Et ça nous arrive souvent : geler en montant dans son auto le matin, geler quand on est un enfant qui joue dehors, geler en attendant l'autobus, geler dans un remonte-pente de station de ski, avec parfois des engelures, de l'hypothermie.

Ce froid peut tuer. On se souvient peut-être de l'histoire dramatique survenue à Toronto en février 2015, alors que la ville était frappée par une vague de froid à laquelle elle n'est pas habituée, de ce petit garçon de 3 ans qui passait la nuit chez sa grand-maman et qui est sorti de la maison en pleine nuit pour être retrouvé sans vie, gelé, le lendemain matin. Ou encore de celle de l'automobiliste québécois qui a perdu connaissance après que sa voiture ait quitté la route, et qui a perdu un pied. Ces drames sont heureusement très rares. Ils peuvent même arriver dans des pays tempérés lorsque frappe une vague de froid. Mais disons que les Londoniens, les Parisiens, les New-Yorkais ne passent pas l'hiver avec cette épée de Damoclès.

Il n'y a pas que le froid. La neige, la glace et le verglas ont une propriété physique, celle de rendre les surfaces glissantes. Cela fait parfois notre joie dans un contexte ludique, mais dans la vie quotidienne, c'est plutôt un problème, un facteur de risque significatif pour les automobilistes, avec le stress de la conduite, les sorties de route, les accidents. C'est aussi un problème pour les piétons, quand les marches d'escalier deviennent des glissoires et les trottoirs, des patinoires. C'est un drame pour les personnes âgées prisonnières de leur logis. Quant à la neige, qui est une alliée lorsqu'on pratique un sport d'hiver, elle est le plus souvent une entrave dans la vie urbaine, une matière peu bienvenue qu'il faut balayer, pelleter, déblayer, qui nous bloque et qui rend les mouvements difficiles.

Il y a aussi l'imprévisibilité, le fait que l'hiver, sans doute davantage maintenant avec les effets du réchauffement climatique, nous réserve souvent des surprises. Des redoux, de la pluie, du verglas, des gels soudains qui transforment l'eau et la neige mouillée en glace, des tempêtes, de la poudrerie, un autre redoux qui transforme la neige en sloche. Bien des amoureux de l'hiver vous diront que la saison froide est très agréable loin des zones urbaines, un peu plus au nord, parce qu'on est bien mieux de vivre là où il y a une constance du climat, même s'il fait froid, que de supporter les mouvements en yo-yo que l'on connaît dans la région montréalaise. Mais les hivers francs, avec de la neige et pas trop d'humidité, semblent plus rares. Une enquête de l'Université de Sherbrooke sur l'hiver, avec table ronde, indiquait que l'incertitude et les écarts de température constants semblaient être les facteurs liés à l'hiver que les gens détestent le plus.

Et il y a surtout la durée. L'interminabilité de l'hiver, qui commence souvent trop tôt, parfois en novembre, et qui se termine invariablement trop tard, qui s'étire en avril, quand on croyait que le printemps était arrivé. Cette durée a des effets psychologiques perceptibles, bien documentés, d'épuisement et de déprime. Plus l'hiver est long, plus le blues de l'hiver s'installe, assez pour que les médecins en voient les effets dans leurs cabinets et que les psychologues s'y intéressent. Cette déprime est renforcée par le manque de lumière naturelle, la noirceur le soir, à l'origine de troubles affectifs saisonniers. Il faut cependant noter qu'à cet égard, les Québécois se retrouvent dans une situation préférable à celle de la plupart des Européens, des Britanniques, des Français, des Néerlandais et à plus forte raison des Scandinaves, qui vivent beaucoup plus au nord que nous et qui doivent donc subir des journées beaucoup plus courtes. En outre, ils vivent dans des climats pluvieux où le soleil ne brille jamais autant qu'ici en hiver.

LA VIE QUOTIDIENNE, L'HIVER

Il y a enfin les effets de l'hiver sur la vie quotidienne. L'hiver ne nous rend jamais la vie plus facile. On y est si habitués qu'on ne se rend plus compte à quel point il draine notre énergie et nous complique l'existence. Rien d'horrible, mais une foule de petites choses, de petits inconvénients, de petites tâches qui s'additionnent. On se réveille le matin ? Il fait encore noir. On sort du lit ? Le chauffage préprogrammé n'a pas encore tout à fait réchauffé la maison. La salle de bains est froide quand on prend sa douche. Quoiqu'il faut noter qu'au Québec, les maisons sont bien chauffées et confortables peu importe la température extérieure, ce qui n'est pas le cas dans la plupart des pays européens où on gèle à cause de l'humidité, de la mauvaise isolation et du chauffage inefficace.

Par contre, on aura le nez un peu irrité à cause de la sécheresse causée par les plinthes électriques. Peut-être aussi la peau sèche et les cheveux cassés. Pas trop de différence pour le petit-déjeuner, sauf peut-être qu'il sera un peu plus copieux pour nous donner de l'énergie. C'est le jour des ordures ou du recyclage ? Il faut mettre un manteau et des bottes pour porter les poubelles à la rue, si ces dernières ne sont pas figées dans la glace.

Ça se complique quand on se prépare à partir. S'habiller pour l'hiver, après avoir regardé la météo pour savoir à quel froid on a affaire, implique manteau, foulard, gants, chapeau, bottes, claques... C'est vraiment pire quand on a des petits et qu'il faut les emballer comme des momies. S'il y a eu des précipitations, il faudra déneiger les escaliers et l'allée. Si on part au travail en voiture, peut-être faudra-t-il gratter le pare-brise, déneiger l'auto ou la sortir d'un banc de neige dans le Plateau-Mont-Royal, se geler les fesses en attendant qu'elle réchauffe, être pris dans un trafic plus lourd parce que le froid augmente le nombre de voitures sur la route et que la neige ralentit la circulation. Bien sûr, on peut éviter ces inconvénients avec le transport en commun, mais on les remplacera par d'autres : marcher vers son arrêt d'autobus ou sa station de métro sur des trottoirs mal déblayés, attendre au froid à l'arrêt d'autobus...

C'était ma liste. On pourra m'accuser d'en mettre un peu trop. Il est vrai que j'ai un parti pris, mais je n'ai pas inventé tous ces inconvénients. Et je suis sûr que si vous faites votre propre liste, vous trouverez d'autres exemples de choses qui nous rendent la vie plus difficile. Ces petits riens dont j'ai fait une longue description sont bien réels, ils exigent du temps, ils bouffent de l'énergie et dans la plupart des cas, ils ne procurent aucune espèce de satisfaction. J'ai fait un petit calcul très sommaire du temps qu'il faut consacrer à tous ces gestes (s'habiller, circuler, etc.) et j'en suis arrivé à évaluer qu'on passe l'équivalent d'une demi-année au cours de notre vie à ce qui n'est rien d'autre que des tâches et des difficultés additionnelles dues à l'hiver.

Même Environnement Canada a analysé les inconforts de l'hiver. Son indice de rigueur du climat, que j'ai cité plus haut (*voir page 43*) et qui permet de classer les villes en fonction de la brutalité de leur saison froide, repose sur des études dans lesquelles on a analysé les facteurs qui font que les Canadiens n'aiment pas l'hiver. En plus des trois caractéristiques classiques – facteur éolien, durée de l'hiver, froid –, on tient compte des risques associés à l'hiver, par exemple la poudrerie, les impacts sur la mobilité comme les chutes de neige et la mauvaise visibilité, les effets psychologiques, surtout l'obscurité. Ce modèle est toujours au cœur d'études très poussées, comme celles du Canadian Institute for Climate Studies de l'Université de Victoria, qui font des projections de l'impact futur des changements climatiques sur l'indice de rigueur du climat.

Bref, tous les éléments négatifs que j'ai évoqués sont réels, et même les amoureux inconditionnels de l'hiver ne pourront pas en nier l'existence. Ce que l'on pourra toutefois rétorquer, c'est que l'hiver a aussi de bons côtés. Mais sont-ils assez nombreux et assez puissants pour compenser ses inconvénients? C'est ce qu'on verra dans le prochain chapitre. Qui aime l'hiver? Qui ne l'aime pas? Et pourquoi? Et surtout, quelles sont les stratégies d'adaptation que déploient les Québécois pour l'apprécier, ou à tout le moins passer à travers?

— 5 —
Les Québécois ne vivent pas l'hiver, ils y survivent.

L'hiver, même pour ceux qui ne sont pas des fans inconditionnels, comporte des moments de joie, de nostalgie et d'émotions. Un Noël blanc, la beauté d'une tempête, la neige sur les arbres, la magie du verglas, le soleil, beaucoup plus présent que dans les pays du nord de l'Europe où il pleut et il fait gris. Et surtout la luminosité, l'incroyable qualité de la lumière de l'hiver, les interminables couchers de soleil de janvier et de février. Les sons cristallins de nos pas dans la neige quand le mercure tombe, l'odeur unique de l'air froid à la campagne. Et bien sûr, les sports d'hiver, l'argument le plus souvent invoqué pour vanter les charmes de la saison froide.

Est-ce que cela suffit à convaincre les Québécois de vraiment adopter l'hiver? Pas vraiment. Les vrais amoureux de l'hiver restent très minoritaires. Pour la majorité des Québécois, à des degrés divers, l'hiver, ce n'est pas quelque chose que l'on embrasse avec enthousiasme: c'est quelque chose que l'on traverse, en déployant tant bien que mal des stratégies d'adaptation.

C'est un peu ce que nous disent les sondages, fort rares, qui portent sur l'hiver. Cette rareté est en soi étonnante quand on sait à quel point l'hiver prend de la place dans nos vies, à quel point on en parle, à quel point on peste. Comment se fait-il que ce pan fondamental de notre vie soit aussi peu exploré? C'est comme s'il y avait une sorte de tabou, qu'on ne voulait pas trop gratter ce sujet.

UN RAPPORT AMOUR-HAINE

Un sondage Léger Marketing publié en 2011 dans le *Journal de Montréal* posait une question simple: aimez-vous l'hiver? Le résultat, qui n'allait pas du tout dans le sens de mes thèses, était, à mon avis, un peu étonnant: 52 % des répondants ont répondu « oui » à la question, et « 48 % », non. Jean-Marc Léger notait une corrélation significative chez les répondants entre ceux qui aimaient l'hiver et ceux qui pratiquaient un sport d'hiver.

Dans ce sondage, 60 % des Québécois disaient pratiquer un sport d'hiver. Mais quand on regarde le détail, l'activité sportive principale était la randonnée pédestre, citée par 39 % des répondants. Elle était suivie par le patinage (25 %), le ski alpin (loin derrière avec 12 %), le hockey et la raquette (11 %), le ski de fond (10 %), la traîne sauvage (9 %), le quad (7 %) et la motoneige (8 %). Ces données ne disaient cependant rien sur la fréquence de la pratique de ces activités.

Il est assez clair que la randonnée pédestre gonfle les données sur la pratique sportive, et je soupçonne que dans bien des cas, cela référait à quelques marches dehors le soir. Et cette activité physique n'a pas nécessairement de spécificité hivernale, sauf pour la sensation de froid. Elle devient un sport d'hiver si on la fait avec régularité et si on a une préférence pour ces promenades quand elles se font dans des conditions hivernales.

Un autre sondage Léger Marketing, celui-ci réalisé en 2012, raffinait un peu le questionnement. On demandait aux gens d'indiquer leur préférence pour trois propositions : « l'hiver est une épreuve », « l'hiver est un plaisir », « l'hiver n'est ni l'un ni l'autre ». Ces trois propositions divisaient les Québécois en trois groupes presque égaux : 30 % des répondants pour qui l'hiver est une épreuve, 31 % pour qui c'est un plaisir, 39 % qui sont indifférents ou neutres.

Ces chiffres se rapprochent de l'évaluation de Louis-Edmond Hamelin : « Est-ce que les Québécois aiment l'hiver ? Ma dernière estimation est qu'il y a à peu près 35 % de la population québécoise qui l'accepte convenablement. »

Dans ce dernier sondage, la proportion de gens disant pratiquer un sport d'hiver était de 40 %, ce qui me semblait plus réaliste. Encore une fois, M. Léger notait un lien entre l'amour de l'hiver et la pratique d'un sport d'hiver. Parmi les 40 % de gens qui font un sport d'hiver, 78 % ont dit aimer l'hiver. Si la corrélation entre l'amour de l'hiver et la pratique d'un sport d'hiver semble évidente, le lien de causalité l'est moins : qu'est-ce qui provoque quoi ? Est-ce qu'on finit par aimer l'hiver parce qu'on pratique un sport d'hiver, ou bien, au contraire, est-ce qu'on s'adonne plus spontanément aux activités hivernales parce qu'on aime déjà l'hiver ?

Le sondage demandait aussi ce que les gens préféreraient : « Aimez-vous vivre dans un pays quatre saisons comme le Québec ou aimeriez-vous vivre dans un pays où il fait toujours chaud ? » À cette question, 65 % ont dit préférer les quatre saisons, et 33 %, les vrais irréductibles, ont dit préférer un pays chaud. Cette question était incomplète parce qu'on peut préférer l'alternance des saisons sans pour autant apprécier le climat du Québec. Il y a aussi quatre saisons à New York, à Paris et à Rome.

Bref, on peut cerner l'existence de deux groupes bien définis et assez égaux. D'un côté, les amoureux de l'hiver, les 31 % pour qui c'est un plaisir, parmi lesquels on trouve de véritables inconditionnels, les 22 % qui, à une autre question du sondage, disent préférer une journée froide d'hiver à une journée de canicule. Et de l'autre côté, il y a les vrais antihivers, les 30 % pour qui c'est une épreuve dont le poids est corroboré par la proportion élevée, 33 %, de répondants qui préféreraient un pays chaud. Mais il reste un solide bloc quelque part entre les deux.

Un troisième sondage, réalisé par la firme Ipsos Reid en janvier 2012 à l'échelle du Canada, nous permet de raffiner encore plus le portrait. Il demandait aussi aux répondants de choisir parmi trois énoncés : « Je peux supporter le froid et la neige seulement pour de courtes périodes. », « Je déteste l'hiver et je préférerais être sur une plage des Caraïbes. », « J'adore l'hiver, amenez la neige et l'air glacé. ».

Au Québec, à peine 21 % des répondants se rangeaient dans cette dernière catégorie des inconditionnels, les vrais de vrais, ce qui confirme les résultats du sondage Léger Marketing, 29 % disaient le détester au point de vouloir être ailleurs, tandis que 49 %, les neutres, disaient l'aimer, mais jusqu'à un certain point seulement.

Les réponses québécoises étaient semblables à celles du Canada. Mais quand on compare les résultats par provinces, on découvre que c'est en Colombie-Britannique que la proportion de ceux qui détestent l'hiver est la plus basse, avec 24 %, et en Alberta et en Saskatchewan qu'elle est la plus élevée, respectivement avec 35 % et 31 %. Autrement dit, plus l'hiver est clément, plus on l'aime, et inversement.

Enfin, une autre question jette un certain éclairage sur ceux qui sont ambivalents quant à l'hiver, soit la moitié de la population : « Combien de fois vous plaignez-vous de l'hiver ? » Ceux qui ne se plaignent jamais sont peu nombreux au Québec (10 %), de même que ceux qui s'en plaignent tous les jours (11 %). Mais entre les deux, 14 % bougonnent les jours de tempête et, surtout, 65 % se plaignent les jours de grand froid.

L'HIVER IDÉAL

Tous ces éléments pointent vers quelques conclusions. D'une part, s'il y a des irréductibles des deux côtés, on retrouve une bonne proportion de gens qui acceptent l'hiver jusqu'à un certain point, qui aiment l'idée de l'hiver, mais pas nécessairement celui que le Bon Dieu nous a donné. Ils aiment l'alternance des saisons et la neige, à condition que l'hiver ne dure pas trop longtemps et qu'il ne fasse pas trop froid. Cela m'a mené à décrire ce qui serait probablement l'hiver idéal pour la majorité des Québécois.

Dans ce monde idéal, l'hiver frappe vers le milieu décembre, avec une baisse des températures et des bordées de neige qui nous assurent d'avoir un Noël blanc. Les Québécois toléreraient ensuite deux bons mois d'hiver, avec des températures maximales légèrement au-dessous de zéro, juste assez douces pour que les rues et les trottoirs soient secs, mais juste assez fraiches pour que le couvert de neige se maintienne, avec des nuits plus froides, mais quand même pas sous les −10 °C, pour que nos terrains de jeux – centres de ski alpin, pistes de ski de fond et de raquette, patinoires et circuits de motoneige – restent intacts. Enfin, un printemps qui commence début mars pour que l'on soit bien certains que tout est rapidement fondu à la mi-mars et, surtout, que l'hiver ne revienne pas sournoisement. Et si possible, des conditions moins clémentes en dehors des centres urbains pour que la saison des sports d'hiver ne soit pas trop écourtée. Avec un hiver comme celui-là, tout le monde serait content. Et ceux qui en veulent davantage n'auraient qu'à aller faire un tour dans Charlevoix ou dans d'autres régions plus hivernales.

Mais cet hiver idéal, ce n'est pas celui que nous avons. Cela explique le rapport amour-haine de bien des Québécois, qui aiment l'idée de l'hiver, qui préfèrent en avoir un, mais qui ont du mal avec sa rigueur et sa longueur.

Ce malaise contribue à nourrir l'obsession des Québécois et des Canadiens pour la météo. Elle tient à l'imprévisibilité de notre climat, à ses écarts brutaux pour lesquels il faut se préparer. On sait aussi que si nous avons un sport national, à part le hockey et la politique, c'est bien celui de pester contre l'hiver. On amplifie ses excès et ses soubresauts, notamment grâce à la dramatisation télévisuelle, l'effet Météomédia, avec ses avis de froid extrême, ses alertes de tempête hivernale ou ses facteurs éoliens. Mais le résultat, quand on le mesure, est étonnant. Influence Communication, dans son bilan annuel de l'information pour 2014, estimait que le Canada se distingue du reste du monde de trois façons: les médias canadiens ont proposé une couverture des événements sportifs qui dépasse de 10 % la moyenne des 160 pays analysés, leur couverture internationale était de 27 % inférieure à celle du reste du monde, mais la météo a pris 229 % plus de place qu'ailleurs!

Cela explique aussi la grande diversité d'opinion des Québécois à l'égard de l'hiver. L'interprétation des sondages nous amène à mettre les gens dans des camps bien définis, les «pour», les «contre», les «neutres». La réalité est infiniment plus complexe. Il y a des adversaires irréductibles, comme l'animateur René Homier-Roy, que j'ai entendu lancer un vibrant «J'éliminerais l'hiver!» sur les ondes de la première chaîne de Radio-Canada. Il y a aussi de véritables passionnés. Mais entre les deux, on retrouve une grande variété de réactions, une subtile gradation des rapports à l'hiver.

L'urbaniste Norman Pressman, lors de la conférence *Welcoming Winter, Changing the Climate of Planning*, à Dalhousie en 2005, a bien décrit le continuum dans lequel peut évoluer l'appréciation de l'hiver. Le niveau d'affection minimal, c'est quand on supporte l'hiver. On progresse un peu dans l'échelle quand on le tolère. On peut ensuite, un pas de plus, l'accepter. On bascule dans la véritable affection quand on le respecte, encore plus quand on l'apprécie ou encore mieux, quand on le célèbre.

LES STRATÉGIES D'ADAPTATION

Pour apprivoiser l'hiver, les Québécois ont développé une panoplie de stratégies d'adaptation soit pour pleinement profiter de l'hiver, soit pour passer à travers, soit pour le fuir. Ces stratégies d'adaptation reposent sur des modes de vie, sur des choix d'activité, mais aussi sur des constructions mentales. Les plus puissants outils d'adaptation à l'hiver sont, à mon avis, de nature psychologique.

Comme l'a bien dit mon collègue et ami Yves Boisvert dans *La Presse+*, l'amour de l'hiver est un «amour forcé». «Ce n'est pas normal d'aimer l'hiver. Je veux dire: ce n'est pas inné. Anthropologiquement parlant, c'est contre nature. L'*Homo erectus* n'est pas apparu en Abitibi ni à Boisbriand, et on ne va pas le blâmer. Une espèce dont les bébés viennent au monde sans fourrure n'a pas d'affaire ici "naturellement"... Certains vous diront qu'ils aiment l'hiver et ils sont parfois sincères. Mais c'est une construction psychologique.»

Le premier outil psychologique, c'est certainement la nostalgie. Notre perception de l'hiver est fortement colorée par nos souvenirs d'enfance. L'hiver frappe généralement à nos portes à la période des Fêtes, avec les célébrations de Noël, la messe de minuit pour certains, les cadeaux, les réunions de famille. L'hiver, c'est d'abord le sapin, les lumières dehors, la musique de Noël. Ce sont souvent parmi les moments les plus marquants de l'année dans la vie d'un enfant pour qui l'hiver commence dans un climat de fête et de congé scolaire. Ces souvenirs d'enfance, le plus souvent heureux, colorent certainement nos perceptions. C'est aussi dans l'enfance que l'on découvre les activités hivernales, les batailles de boules de neige, les forts, les bonshommes de neige, la glissade en traîne sauvage. Des activités que l'on aura tendance à reproduire avec nos propres enfants. Quoique le cynique en moi rappellera que les jours où il y a de la «neige à bonhomme» sont très rares et se comptent sur les doigts d'une main. Ça ne suffit pas à faire accepter l'hiver jusqu'à la fin, mais cela permet aux Québécois d'accueillir de façon plus positive ses premières manifestations parce qu'il commence dans la joie.

Le deuxième outil d'adaptation, lui aussi psychologique, ce sont les constructions mentales que nous avons développées pour nous aider à accepter l'hiver et à le supporter jusqu'au bout. La plupart du temps, il s'agit d'arguments de nature morale que l'on nous sert depuis des générations. Le plus connu, c'est la thèse voulant que la rigueur de l'hiver comporte un très grand avantage, celui de nous faire apprécier encore plus l'arrivée du printemps. C'est un véritable argument catho, puritain, qui repose sur l'idée que la récompense suit l'expiation, qu'il faut avoir souffert pour avoir droit au plaisir. Il suffit de voir comment, dans bien des pays tempérés, on fête tout autant l'arrivée du printemps pour nous rappeler que le froid extrême n'est pas un prérequis pour vraiment être émus par des lilas en fleurs.

Un autre de ces vieux arguments, c'est celui qui consiste à vanter les capacités collectives, le stoïcisme et la force morale qui nous permettent de traverser l'hiver. Cet argument est tout aussi moraliste parce qu'il glorifie une certaine forme de courage et qu'il mène rapidement à conclure que ceux qui n'aiment pas l'hiver, ceux qui s'en plaignent, manquent de force de caractère.

Les appels à « assumer notre nordicité » sont d'une certaine façon une version moderne et branchée de cet appel au courage. Ces références à la nordicité ne reposent pas, je crois l'avoir bien démontré, sur une analyse scientifique de la société québécoise, mais sur une conception de ce qu'elle devrait être. Ces évocations d'une souhaitable nordicité constituent une forme de volontarisme. Là aussi, on sent une bonne pointe de moralisme, une distinction entre ce qui est le bien et ce qui est le mal, un appel au sens du devoir. On remarquera que les références à la nordicité portent le plus souvent sur des gestes ou des activités qui reposent sur l'effort ou la souffrance, comme la pratique du vélo par temps hostile plutôt que sur le plaisir des terrasses chauffées.

Mais le principal mécanisme à travers lequel les Québécois adhèrent à l'hiver, nettement plus ludique, c'est la pratique des sports et des activités hivernales. Il est vrai que l'hiver permet une forme de plaisir que l'on ne retrouve sous aucun autre climat : la glisse. Ça prend de la neige ou de la glace pour glisser. C'est une sensation presque impossible à reproduire ailleurs, une sensation tout à fait unique. Même le ski nautique, malgré certaines similitudes, n'est pas une activité de glisse, mais un sport qui repose sur la traction. On peut donc comprendre que des gens soient heureux, quand l'hiver arrive, de retrouver leurs pentes, leurs pistes de ski de fond ou leurs sentiers de motoneige.

Cependant, on ne sait pas toujours si les gens aiment ces sports par amour de l'hiver, s'ils ont hâte à l'hiver pour chausser leurs skis ou leurs patins, ou si la pratique de ces sports est un mécanisme d'adaptation pour supporter l'hiver, pour trouver une façon de le traverser sans être confiné à l'intérieur. Il y a sans doute une gradation des attitudes chez les adeptes des sports d'hiver entre ceux qui professent un amour inconditionnel du froid et de l'air cristallin et ceux qui font contre mauvaise fortune bon cœur.

Il ne faut pas oublier non plus qu'à cet égard, les Québécois et les Canadiens sont dans une situation à peu près unique dans le monde. La plupart des sports d'hiver que nous pratiquons au Québec sont des sports de proximité, comme le patin ou la raquette, ou des sports dont les installations sont proches des centres urbains, comme le ski alpin ou le ski de fond. À cause de cette proximité, nous devons subir dans nos milieux de vie les conditions hivernales dont nous avons besoin pour pratiquer ces sports. Pour qu'il y ait de la neige dans les Laurentides, il faut subir l'hiver à Montréal. Les propriétaires de stations de ski savent d'ailleurs que s'il n'y a pas de neige à Montréal ou à Québec, il n'y aura pas grand monde chez eux.

Ailleurs dans le monde industrialisé, les conditions hivernales dépendent moins de la latitude que de l'altitude. L'hiver est en hauteur. Il ne vient pas à nous, il faut aller à lui, grimper en montagne pour trouver de la neige. Cela permet de profiter des joies de l'hiver sans avoir à en supporter les conséquences. À Barcelone ou à Lyon, on peut prendre un café le matin sur une terrasse et skier l'après-midi. Presque partout dans le monde, on peut skier sans geler, parce que les températures sont douces, que ce soit dans les Rocheuses canadiennes, dans les centres de l'Ouest américain, comme en Utah, ou dans les Alpes.

Nous sommes à peu près les seuls à skier à des températures de −30 °C, parfois −40 °C avec le facteur éolien, habillés comme des cosmonautes, cagoulés, farcis de chauffe-mains et de chauffe-pieds. Ce qui nous aide, et qui donne certainement un grand élan aux activités extérieures, ce sont les incroyables progrès technologiques dans l'industrie textile qui nous donnent des vêtements techniques nous protégeant du froid et de l'humidité comme jamais auparavant.

Un autre mécanisme d'adaptation à l'hiver, ce sont les manifestations qui célèbrent l'hiver, qui valorisent ses charmes et qui nous permettent d'en profiter dans la joie, comme le Carnaval de Québec, une authentique fête des neiges, avec son palais de glace, ses concours de sculpture, sa course en canot sur le fleuve. Cela nous rappelle que Québec, une ville plus froide, plus enneigée que Montréal, plus proche de la nature, accepte mieux l'hiver. Ottawa a aussi son carnaval. D'autres manifestations ont progressivement vu le jour, comme l'Igloofest à Montréal, une discothèque extérieure en plein hiver qui attire surtout de très jeunes adultes, connus pour leur résistance au froid.

Montréal en lumière, la célébration hivernale de Montréal, joue sur un autre registre. Elle permet de fêter en hiver plutôt que de fêter l'hiver, en ce sens que plusieurs de ses manifestations se déroulent à l'intérieur, dans des restaurants et dans des salles de spectacles. La fête comporte quand même un volet extérieur très réussi, avec des glissades, des braseros, des sons et lumières, des kiosques de nourriture sur la place des Festivals. Mais le succès du rassemblement sur cette agora est inversement proportionnel aux conditions hivernales. Paradoxalement, l'affluence fléchit quand il fait froid, ce qui est en quelque sorte une négation de l'esprit hivernal.

C'est un phénomène que l'on a pu observer à l'hiver 2015, avec ses mois de janvier et de février particulièrement froids, où le mercure passait trop souvent sous la barre des –20 °C. Le succès des événements censés célébrer l'hiver a été affecté... par l'hiver. C'est arrivé avec le spectacle extérieur de Vincent Vallières, pour l'ouverture de Montréal en lumière, quand le vent glacial a fait fuir les spectateurs. «On va se le dire, ceux qui sont là ce soir, c'est que vous êtes pas des lopettes!», leur a lancé le chanteur, qui, dans sa chanson *L'amour, c'est pas pour les peureux*, a changé «amour» par «hiver»[10].

Le Carnaval de Québec de 2015, avec sa parade dont le thème était comme par hasard la nordicité, a lui aussi connu des problèmes de fréquentation parce qu'il faisait trop froid. La Fête des neiges à Montréal a connu le même problème. Une manifestation sportive, intitulée «Vélo sous zéro», qui vise à faire la promotion du vélo hivernal – c'est à cette occasion que le maire Coderre, pour saluer l'événement, avait dit qu'il fallait «assumer notre nordicité» – a connu des ratés à cause du froid. Seulement 400 cyclistes ont participé à l'événement, deux fois moins que le nombre d'inscriptions, parce que le –20 °C a refroidi les ardeurs. Cela nous dit que notre façon d'embrasser notre nordicité a quelque chose de conceptuel. On est nordique quand le Québec ne l'est pas trop.

Il y a une autre série de gestes d'adaptation, relativement nouveaux et fort sains, qui consiste à poursuivre des activités extérieures qui ne sont pas hivernales même quand l'hiver s'installe, comme le vélo et, surtout, la course. C'est fort sain, en ce sens que cela correspond à la volonté de ne pas rester enfermé pendant la saison froide. Cette façon de braver l'hiver est un excellent mécanisme d'ajustement, mais il ne reflète pas nécessairement une adhésion enthousiaste. La plupart des coureurs qui joggent en janvier le font moins par amour de l'hiver que par amour de la course. Il n'en reste pas moins que cela permet de combattre la tendance au repli sur soi et à l'inactivité.

Mon collègue François Cardinal, dans une chronique signée en février 2015, essayait de vanter les vertus du vélo l'hiver avec un argumentaire que je n'ai pas trouvé très convaincant. Trop compliqué, trop sale, trop dangereux à mon goût. «Le vélo d'hiver, écrivait-il, c'est peut-être un peu de trouble. Mais pour aller au-delà du cliché, il faut aussi considérer les avantages. Enfourcher sa bécane matin et soir, c'est se réconcilier avec sa nordicité. C'est assumer l'hiver plutôt que l'endurer. C'est accepter le vent et la glace plutôt que d'en faire des ennemis. Le froid aussi, mais il est plus exigeant d'attendre le bus immobile que de faire du vélo[11]. »

Je suis bien d'accord avec cette idée d'assumer l'hiver plutôt que de le subir. Cela reste la meilleure façon de passer à travers, même pour ceux, et j'en suis, qui n'en sont pas des amoureux inconditionnels. Mais il y a des façons moins masochistes de l'assumer que de rouler dans le froid polaire et le calcium.

C'est par exemple le cas de l'engouement pour les spas nordiques, avec leur alternance de froid et de chaud, leurs saunas et leurs bains glacés, les roulades dans la neige ou les trempettes dans un lac après un bain de vapeur. On en compte maintenant une trentaine au Québec. Une pratique que l'on retrouve d'ailleurs au niveau domestique avec la multiplication des jacuzzis extérieurs. Ce sont des activités qui sont résolument nordiques, qui s'inspirent des traditions scandinaves, à la fois hivernales et hédonistes. C'est une façon d'assumer la nordicité sans pour autant s'autoflageller.

Par contre, on assiste aussi au phénomène inverse, quand des activités traditionnellement hivernales cessent de l'être parce qu'on ne les pratique plus à l'extérieur. C'est le cas du patinage, et surtout du hockey qui a pris le chemin des arénas. Pour des générations de jeunes, le hockey s'est pratiqué dehors, avec une tuque en laine et un gros chandail à col roulé du

Canadien. C'est fini, même s'il y a toujours des patinoires extérieures. Il y a quand même là un paradoxe saisissant. Notre sport national, qui était le nôtre parce que nous avions quelque chose que les autres n'avaient pas – de la glace – a sacrifié une partie de son âme quand on s'est mis à le pratiquer sous un toit et sur de la glace artificielle. Il a perdu ce qu'il pouvait avoir de nordicité.

Mais malgré les sports d'hiver, malgré les courageuses incursions à l'extérieur, les Québécois réagissent aussi à l'hiver en se réfugiant dans le confort de leurs foyers. L'hiver, c'est aussi la saison du *cocooning* extrême. C'est la saison où l'on reste le plus à l'intérieur des murs de nos maisons, parce qu'il fait froid dehors, parce que le soleil se couche tôt, pour lire au coin du feu, pour les jeux de société. C'est pendant la saison froide que nos réseaux diffusent leurs grandes séries télévisées. En avril, quand le printemps arrive, la programmation régulière est déjà terminée. Le *cocooning*, c'est aussi une autre façon de faire la cuisine, avec des plats plus riches, plus réconfortants, plus viandeux, c'est la saison du *comfort food,* des mijotés et des plats traditionnels. Une partie du charme de l'hiver, on le vit aussi à l'intérieur, bien au chaud, en regardant la neige par la fenêtre.

Il est donc clair qu'une des réactions des humains à l'hiver, que l'on observe aussi chez de nombreuses espèces de mammifères, c'est l'hibernation, soit une tendance à se réfugier à l'intérieur, même chez ceux qui apprécient la saison froide. La quintessence de cette stratégie, c'est l'anthropologue Bernard Arcand qui l'a proposée dans un essai en 1999, *Abolissons l'hiver*[12], qui défendait sur un autre mode, celui de l'humour, les mêmes thèses que moi et qui suggérait en fait de travailler l'été pour littéralement s'enfermer pendant les deux principaux mois d'hiver en attendant que ça passe.

C'est un peu ce que font un certain nombre de Québécois qui aiment si peu l'hiver qu'ils s'enferment, une stratégie pas nécessairement heureuse parce que le fait de trop vivre à l'intérieur, privé d'air frais et de lumière naturelle, rend l'hiver encore plus pénible. Ce repli extrême n'est pas toujours le fruit d'un choix personnel. Pour un grand nombre de Québécois, c'est plutôt une obligation. Je pense aux personnes âgées qui deviennent prisonnières, enfermées dans leurs logements parce qu'elles ont trop peur de sortir dehors, de prendre froid, de glisser et de risquer des fractures.

Il y a enfin une autre stratégie d'adaptation, extrêmement efficace, que les humains et les autres mammifères utilisent aussi depuis des millions d'années devant l'adversité : la fuite. C'est ce que les Québécois font par centaines de milliers chaque année en se sauvant dans le Sud, soit pour quitter carrément nos terres inhospitalières comme le font les *snowbirds*, soit pour aller faire une courte immersion d'une semaine ou deux en Floride ou dans les Caraïbes pour refaire le plein d'énergie et de chaleur. Plus loin, je parlerai plus en détail de ces migrations méridionales, mais le phénomène met en relief le fait que notre hiver paraît assez hostile à un certain nombre d'entre nous pour qu'ils choisissent la fuite et l'exil.

Toutes ces stratégies d'adaptation envoient le même message, et c'est que nos rapports à l'hiver sont ambivalents, qu'ils nécessitent de notre part un combat. Ils montrent que nous n'acceptons pas vraiment l'hiver, comme le feraient de véritables nordiques, parce que nous n'acceptons pas ses deux caractéristiques principales : sa rigueur et sa durée.

Ces rapports à l'hiver sont d'autant plus difficiles qu'un autre facteur vient modifier nos attitudes, mais aussi notre façon de définir notre identité. Cet autre facteur, c'est l'été, qui fait l'objet du prochain chapitre.

— 6 —
La vraie culture des Québécois, c'est leur culture d'été.

Il y a quand même une justice divine. Ce même climat continental qui nous donne un hiver glacial nous donne aussi un été chaud et humide, assez chaud pour que le Québec soit souvent frappé par des périodes de canicule ou qu'Environnement Canada émette régulièrement des alertes de chaleur accablante. Après avoir été sous la houlette du facteur éolien, le Québec devient l'esclave de l'indice humidex. Le pays de la raquette se transforme en celui de la gougoune.

L'existence de ces étés chauds constitue évidemment un élément de réponse pour expliquer pourquoi les Québécois n'acceptent pas l'hiver avec l'enthousiasme des Scandinaves. Il est difficile d'aimer un hiver très froid quand on a connu les douceurs d'un vrai été chaud. Ce n'est certainement pas le cas des pays du nord de l'Europe, dont le climat océanique joue dans l'autre sens et qui, l'été, retrouvent pleinement les effets de leur situation nordique. La mer et le Gulf Stream atténuent les rigueurs de l'hiver, mais ils ne peuvent pas compenser la faiblesse des rayons d'un soleil boréal.

Mais notre été continental n'est pas qu'une parenthèse climatique. L'été est assez chaud et assez long pour contribuer, lui aussi, à façonner notre identité, à colorer notre perception de ce que nous sommes, à influencer notre mode de vie, à modifier nos comportements collectifs et individuels et, bien sûr, à affecter notre attitude face au froid et à l'hiver.

Ce n'est pas une thèse que j'avais en tête lorsque j'ai entrepris la rédaction de ce livre. Mais à force de fouiller les différents aspects des rapports des Québécois avec le froid et l'hiver, j'ai été frappé de voir à quel point les composantes nordiques de notre personnalité collective avaient tendance à s'affaiblir, tandis qu'au contraire, on assistait au développement de traits culturels plus compatibles avec le Sud, la chaleur, le soleil et le temps doux.

Voilà donc l'hypothèse que j'émets bien humblement et que je développerai dans les chapitres qui suivent: la véritable identité des Québécois, ce qui les définit le mieux, ce n'est pas leur nature nordique. Au contraire, on assiste plutôt chez les Québécois à l'émergence d'une culture de l'été.

DES ÉTÉS QUI N'ONT RIEN DE SCANDINAVE

À Montréal, les températures maximales moyennes passent de 19 °C en mai à 24 °C en juin, 26 °C en juillet, 25 °C en août et 20 °C en septembre. Les minimums, encore bas au mois de mai avec 8 °C, augmentent à 13 °C en juin, 16 °C en juillet pour ensuite redescendre à 14 °C en août et 9 °C en septembre.

Le portrait est tout autre dans les capitales scandinaves, comme le montrent les tableaux 3 et 4.

Tableau 3 : Les maximums d'été à Montréal et dans les capitales nordiques, en degrés Celsius

	Mai	Juin	Juillet	Août	Sept.
Montréal	19,0	24,0	26,0	25,0	20,0
Stockholm	16,0	21,0	22,0	20,0	15,0
Copenhague	15,5	19,0	21,0	21,0	17,0
Oslo	16,0	20,0	22,0	22,0	16,0
Helsinki	15,0	20,0	21,0	20,0	14,0

Source : Environnement Canada, Météomédia, Weatherandclimate.com

Tableau 4 : Les minimums d'été à Montréal et dans les capitales nordiques, en degrés Celsius

	Mai	Juin	Juillet	Août	Sept.
Montréal	7,7	12,7	15,6	14,3	9,4
Stockholm	6,0	11,0	13,0	13,0	9,0
Copenhague	7,0	11,0	13,0	12,0	9,7
Oslo	7,0	11,0	13,0	13,0	9,0
Helsinki	4,0	9,0	12,0	11,0	6,0

Source : Environnement Canada, Météomédia, Weatherandclimate.com

En gros, les températures montréalaises dépassent celles des capitales scandinaves de quatre ou cinq degrés le jour (de 24 °C à 26 °C ici contre 20 °C à 22 °C là-bas), et de deux degrés la nuit (de 13 °C à 15 °C ici contre 11 °C à 13 °C là-bas). Cela ne semble pas énorme, mais avec l'humidité et les rayons du soleil beaucoup plus forts en raison de notre latitude, quelques degrés de plus font une énorme différence pour la nature, l'agriculture, le corps humain et la vie collective. Ces quatre ou cinq degrés ont un impact considérable, assez pour nous faire basculer, en termes climatiques, dans un autre monde, du moins temporairement, celui des pays chauds.

LE POIDS DES CANICULES

Le symbole de cette différence climatique qui nous distingue certainement de l'Europe du Nord, ce sont les canicules et les vagues de grande chaleur. Au-delà des moyennes, nous savons que le mercure peut connaître des pointes élevées, habituellement 12 jours par été au-dessus de 30 °C, avec une sensation de chaleur élevée en raison de l'humidité. Voici quelques chiffres sur nos records. Montréal a déjà enregistré un maximum de 37,8 °C, Québec de 35,6 °C, tandis que c'est à Saguenay où la pointe de chaleur la plus élevée a été mesurée, avec 38,4 °C. L'indice humidex a déjà atteint 46,8 °C à Montréal, et même un étonnant 49,3 °C à Québec. À Montréal, le premier jour où l'on dépasse en moyenne les 30 °C est le 9 juin. C'est le 30 mai à Gatineau et le 26 juin à Québec. Mais cela peut arriver beaucoup plus tôt, Montréal ayant déjà connu les 30 °C un 27 avril. Bref, le Québec, surtout dans sa portion sud, devient par moments, avec la chaleur et l'humidité, carrément tropical.

La chose est assez sérieuse pour constituer un enjeu de santé publique auquel l'Agence de la santé et des services sociaux de Montréal a consacré, en 2013, un plan régional : « Au cours des dernières années, plusieurs vagues de chaleur ont frappé les pays occidentaux. Dans les grands centres urbains, la hausse des températures peut être amplifiée de plusieurs degrés, entre autres, en raison des recouvrements asphaltés et des matériaux des différentes infrastructures absorbant la chaleur. Montréal ne fait pas exception. À l'été 2010, 106 personnes sont décédées possiblement à cause de la chaleur. La chaleur accablante ou extrême peut présenter des risques importants pour la santé de la population, plus particulièrement pour les personnes âgées, les personnes atteintes d'une maladie chronique ou présentant des problèmes de santé mentale, ou encore les enfants de 4 ans et moins[13]. »

Ce sont ces épisodes de grande chaleur qui font en sorte qu'au Québec, surtout dans la zone métropolitaine, la climatisation est en train de devenir une norme. Perçue comme un luxe il n'y a pas si longtemps, elle est de plus en plus définie comme une nécessité, en partie à cause du vieillissement de la population et donc de l'augmentation du nombre de personnes vulnérables, de la plus grande fréquence des épisodes de grande chaleur avec le réchauffement climatique et de l'élévation marquée de la température dans les grandes villes, avec leurs îlots de chaleur.

En 2009, selon Statistique Canada, 42 % des ménages québécois disposaient d'un climatiseur, soit un peu moins que la moyenne canadienne de 50 %. Au Québec, 44 % de ces climatiseurs domestiques sont des systèmes centraux, et 56 % des climatiseurs autonomes posés aux fenêtres, selon une étude du consortium de recherche sur les changements climatiques Ouranos dans une étude commandée par l'Institut national de la santé publique du Québec.

LE CHOC THERMIQUE

Tout cela souligne à quel point la chaleur est une réalité au Québec, ce que ne connaissent pas à un tel degré les pays du nord de l'Europe.

Ces différences climatiques ont d'importantes conséquences. La première, c'est que les accents quasi tropicaux de nos étés ont des effets sur notre psyché. Le contraste marqué entre nos deux principales saisons nous distingue vraiment des pays nordiques et contribue à expliquer le fait que nous n'embrassons pas la nordicité avec autant d'ardeur. L'écart entre l'hiver et l'été est assez fort pour qu'on puisse parler de choc thermique. À Montréal, on passe d'un minimum moyen de –15 °C en janvier à un maximum moyen de 26 °C en juillet, un écart de 41 degrés. À Copenhague, on passe de –2 °C à 22 °C, un écart de 24 degrés, presque deux fois moins.

Cet écart explique bien des choses. Le passage à l'hiver est certainement plus difficile à accepter parce que nous avons eu le temps de bien nous installer dans l'été. Cette transition brutale n'existe pas vraiment dans les pays scandinaves. En simplifiant un peu les choses, on peut dire qu'un Danois ou un Suédois qui doit souvent porter une petite laine ou un coupe-vent le soir, l'été, parce qu'il fait assez frais, n'a qu'à rajouter une pelure l'hiver, un polar ou une petite doudoune. Un Québécois passe plutôt de la camisole au Kanuk.

NORD OU SUD ? CHOISIR SON IDENTITÉ

La seconde grande caractéristique de nos réalités climatiques, c'est que le Québec connaît plus de vrais mois d'été que de vrais mois d'hiver. En gros, il y a cinq mois de belle saison, de mai à septembre, cinq mois où les maximums sont égaux ou supérieurs à 20 °C, avec quelques pointes estivales en avril et en octobre. L'hiver, de son côté, dure quatre mois, de décembre à mars, avec des sursauts en avril. Dit autrement, on compte plus de mois où l'on fait du jardinage que de mois où l'on est contraints de faire du pelletage.

On peut donc raisonnablement se poser la question suivante : sommes-nous un pays du nord avec une parenthèse estivale, ou plutôt un pays tempéré avec une parenthèse hivernale ? Sommes-nous des nordiques qui connaissent un intermède chaud, ou sommes-nous des méridionaux qui doivent composer avec un intermède froid ?

Si nous tenons à nous définir par ce qui nous distingue des autres, nous nous définirons évidemment par notre hiver puisqu'il est unique et différent de ce que l'on vit ailleurs. Mais si nous souhaitons nous définir par ce qui correspond à notre mode de vie et à notre culture, il serait logique que les Québécois se définissent par leur été plutôt que par leur hiver.

On me dira que la chanson *Mon Pays,* qui est pratiquement devenue notre hymne national, chante clairement notre nordicité en proclamant que « mon pays, ce n'est pas un pays, c'est l'hiver ». Je répondrai que ce qui a sans doute fait la force de cette chanson, c'est davantage son message d'affirmation nationale, que le « mon pays » pèse plus lourd que le « c'est l'hiver ».

L'apôtre du Nord, Louis-Edmond Hamelin, en a fait une question identitaire. Parlant des Québécois qui aiment l'hiver, il a déjà dit : « Ces gens sont près de leur pays, car en réalité, accepter l'hiver, c'est accepter la québécité. Celui qui aime l'hiver a un degré de québécité plus élevé que celui qui passe son temps à le détester[14]. »

Au départ, je trouve toujours qu'il y a quelque chose de détestable à définir ce qu'est la québécité et à décider qui mérite d'être défini comme un vrai Québécois – une pratique qui a d'ailleurs mené à de nombreuses dérives.

De plus, je ne crois pas que le postulat qui consiste à faire une adéquation entre la québécité et l'amour de l'hiver se vérifie. En principe, il n'y a aucune raison pour laquelle, entre les deux réalités climatiques bien précises qu'ils connaissent, les Québécois soient forcés de choisir l'hiver. Dans les faits, on peut constater que, de plus en plus, les Québécois développent des caractéristiques plus méridionales dans leurs comportements individuels et collectifs, ce qui les amène à délaisser progressivement leur nordicité et à développer une culture du sud. Il s'agit d'un phénomène récent, qui se manifeste depuis un demi-siècle, mais qui va en s'accélérant.

L'émergence de cette culture du sud se manifeste par une foule de comportements, de gestes, de petits signes qui, en s'additionnant, définissent les contours d'une nouvelle image de ce qu'est le Québec.

ÉTIRER L'ÉTÉ

Le premier de ces *patterns*, c'est la tendance manifeste des Québécois à se mettre sur un mode estival le plus tôt possible et à l'abandonner le plus tard possible.

Dans les souvenirs de mon enfance, l'été commençait officiellement à la Saint-Jean, donc à la fin des classes le 24 juin, et se terminait à la fête du Travail, le premier lundi de septembre. L'été durait dix semaines. Point. La règle était assez rigide pour que les parents interdisent à leurs enfants de se baigner avant le 24 juin, ou parfois, s'ils étaient moins rigides, de ne pas mettre leur tête dans l'eau avant cette date. On ne s'habillait pas en été avant l'été. Et personne ne se promenait en ville en culottes courtes, sauf les enfants.

Et maintenant? Il n'y a plus de règles. En fait, on étire l'été des deux bouts, on se met en mode été le plus tôt possible et on s'y accroche le plus longtemps que l'on peut. On saute à l'eau dès que la température le permet et aussi longtemps que la température le permet. Bien des gens ouvrent leur piscine en avril pour qu'elle soit prête pour les beaux jours de mai et la font fonctionner jusqu'en octobre. Le mode de vie extérieur s'installe dès que la neige fond et que le soleil brille. On sort les chaises et les tables et on mange dehors très tôt et très tard, d'autant plus que nous avons découvert, avec des décennies de retard sur les Européens, les vertus des chauffe-terrasse. Dans les clubs de golf, la saison commence dès que les terrains sont secs après la fonte des neiges. Les vélos sortent très tôt au printemps, et le jardinage recommence dès que la terre dégèle.

UNE BASCULE CULTURELLE

On peut aller plus loin. Les Québécois ne font pas qu'étirer la saison chaude, ils l'investissent. On assiste, l'été, à une véritable bascule culturelle où les Québécois changent de mode de vie, modifient même leur comportement, passent d'un repli sur soi et d'une attitude plus retenue, et donc plus proche de la réserve nordique, à un état plus sociable, convivial et méditerranéen quand arrive l'été. C'est une mutation qui frappe souvent les nouveaux venus, à l'arrivée de l'hiver, quand ils ne reconnaissent plus les Québécois dont ils avaient fait la connaissance pendant l'été.

Cette bascule vers un mode de vie estival est plus prononcée aujourd'hui qu'il y a quelques décennies, et elle prend plusieurs formes. Tout d'abord dans la façon de s'habiller. L'été, les villes québécoises sont le paradis des sandales, des ballerines, des mini-jupes et des robes courtes pour les jeunes femmes, des camisoles, des bermudas et des « capris » pour les jeunes hommes. On s'habille en ville comme si on était à la plage, même au cégep, à l'université ou au travail, ce que l'on ne voit pas autant dans les grandes villes du monde industrialisé où peu importe la saison, il y a des façons de s'habiller pour la ville et d'autres que l'on réserve pour les vacances et la campagne. À Montréal, on peut voir, l'été, des gens en bedaine dans la rue, comme à La Havane. On voit aussi des postiers avec leur uniforme d'été, des bermudas, comme… aux Bermudes.

La culture de l'été, on la voit dans notre aménagement urbain, avec la tradition des terrasses, plus nombreuses à Montréal qu'à Toronto et que dans la plupart des grandes villes nord-américaines. Elles sont assez nombreuses pour contribuer à notre paysage urbain. On sort tables et chaises dès que la fonte des neiges et la présence de rayons de soleil le permettent, dans une pratique quand même assez irrationnelle parce que la période sur laquelle ont peut rentabiliser cette dépense est plus courte que dans les villes européennes ou dans les villes américaines plus au sud.

Cette culture estivale, on la voit aussi dans nos rassemblements et notre façon d'occuper nos villes. Bien sûr, on a quelques activités hivernales, mais les moments forts de la vie collective se passent l'été. À Québec, c'est avec la Saint-Jean et le Festival d'été. C'est encore plus frappant à Montréal, non seulement parce que les événements estivaux y sont si nombreux qu'ils forment une suite ininterrompue, des Francofolies au Festival des films du monde en passant par le Festival de jazz, Juste pour rire, le Grand Prix de formule 1 et Osheaga, mais surtout parce que ces événements définissent Montréal.

Ces moments sont en effet assez forts pour avoir façonné l'image et l'identité de la métropole. Quels sont les messages que Montréal envoie partout à travers le monde pour se décrire ? Des atouts naturels, le Mont-Royal, le fleuve et ses berges, qu'on ne peut pleinement apprécier que l'été ; des traits de personnalité, celle d'une ville chaleureuse et conviviale, où l'on vit dans la rue, dans les parcs, sur les terrasses, ce qui n'est possible que l'été ; de grands rassemblements extérieurs qui sont devenus sa marque de commerce et qui ne sont possibles que dans une ville du sud au climat clément. Bref, l'image de marque que la métropole a choisie, consciemment ou inconsciemment, est une image d'été.

La culture estivale se voit aussi à l'aménagement extérieur de nos maisons. Dans les années 1950 et 1960, les gens ne sortaient pas dehors, n'utilisaient pas leur cour, s'ils en avaient une. La plupart des résidences urbaines construites avant les années 1960 n'avaient pas de terrasse à l'arrière, et rien d'autre qu'un balcon exigu qui servait surtout à mettre les poubelles et à donner un accès à la corde à linge. Ça a changé avec le développement des banlieues et, en ville, avec les fortunes dépensées en aménagement, en balcons, en terrasses et, maintenant, en mobilier qui transforme le jardin en salon extérieur et en cuisine en plein air qui remplace le barbecue traditionnel.

AU PAYS DES PISCINES

Le symbole le plus étonnant du développement de cette culture de l'été, ce sont les piscines. Il s'agit d'un véritable phénomène culturel dont les Québécois eux-mêmes ne sont pas conscients. On peut en avoir un indice en regardant des images de nos banlieues à partir des photos satellites de Google où les couleurs dominantes sont le turquoise et l'aquamarine à cause de l'eau des piscines.

Le ministère de l'Éducation, du Loisir et du Sport, qui s'intéresse à ces choses pour des raisons de sécurité aquatique, citant les données de la revue *Pool & Spa Marketing*, estimait qu'il y avait 270 000 piscines au Québec en 2009, dont 190 000 piscines hors terre et 93 000 piscines creusées. En tenant compte de la croissance très forte de la demande pour des piscines, soit plus de 10,5 % par année, on peut extrapoler qu'on s'approche du cap du demi-million en 2015.

Ce qui est proprement renversant, c'est que le Québec est l'un des endroits d'Amérique du Nord qui compte le plus de piscines par habitant. Au Québec, on dénombre une piscine privée pour 26 personnes, tandis que la Californie, avec ses 37 millions d'habitants et ses 1,2 millions de piscines, ne compte qu'une piscine pour 31 personnes. Le Québec ne serait dépassé que par la Floride, avec une piscine pour 21 habitants, et peut-être l'Arizona !

Personnellement, je ne suis pas sûr que les statistiques de l'industrie soient totalement fiables, surtout pour les comparaisons d'une région à l'autre, mais le nombre élevé de piscines au Québec est un fait vérifiable. Assez pour que *le Globe and Mail* ait tenté de trouver des réponses à ce phénomène, étonné du fait que 44 % des piscines au Canada se trouvent au Québec, ou encore du fait qu'on installe 3500 nouvelles piscines par année dans la région montréalaise, quatre fois plus que les 840 piscines annuelles additionnelles du Grand Toronto.

Convenons que c'est quand même étrange. On comprend la prolifération des piscines dans les États du Sud où c'est presque une question de survie, tandis qu'ici, elles ne sont vraiment utilisées que quelques mois par année, ce qui en fait une dépense plus ou moins raisonnable.

Comment expliquer cet engouement? Il y a à cela des raisons purement économiques, comme l'absence de taxe d'eau et le plus faible prix de l'électricité du continent. Ces deux facteurs réduisent considérablement les frais variables, notamment pour le chauffage de l'eau. Le prix des propriétés plus bas au Québec que dans la plupart des centres urbains canadiens favorise aussi la construction des piscines, parce que les terrains sont moins coûteux et que les propriétaires consacrent une portion moindre de leur budget au logement. Cela s'explique aussi par le fait que les Québécois privilégient les piscines hors terre, qui comptent pour presque 70 % du total et qui sont nettement moins dispendieuses.

UNE VÉRITABLE CULTURE DE L'ÉTÉ

Le mystère reste quand même assez entier, quand on sait que la saison pendant laquelle la piscine est utilisable est clairement plus courte à Montréal que presque partout aux États-Unis.

Au-delà des arguments économiques, il faut y voir un désir des Québécois de vivre leur été le plus intensément possible.

Mais la piscine, ce n'est pas seulement la nage et les jeux aquatiques, c'est aussi le patio, la terrasse, le barbecue, le verre de bière – et maintenant le verre de rosé –, des pratiques qui reflètent l'existence d'une culture estivale bien enracinée.

Cette culture du sud, on la voit dans l'aisance avec laquelle les Québécois s'installent dans un rythme de vie tropical lorsqu'ils quittent leur territoire. Les Québécois, quand ils vont à Cuba ou en République dominicaine, même s'ils n'ont jamais voyagé, sont comme des poissons dans l'eau dans cet environnement du Sud, parfaitement à l'aise avec les habitants. On sait aussi que les va-et-vient sont si fréquents, et depuis très longtemps, entre le Québec et la Floride que cet État est devenu en quelque sorte une extension du territoire québécois, faisant partie de notre géographie intérieure et de notre identité collective. Ce qui n'a jamais été le cas du Nunavik.

Cette culture de l'été, je la vois aussi dans notre sens de la fête. Depuis toujours, on sait spontanément que les Québécois ont quelque chose de plus festif, plus rieurs, plus bruyants, plus sociables, plus conviviaux que leurs compatriotes canadiens-anglais. L'origine de ce phénomène n'est pas claire. On l'explique parfois par le caractère latin hérité de nos ancêtres français. Ce n'est pas très convaincant quand on sait que la plupart d'entre eux venaient des régions du nord de la France, peu connues pour leurs penchants festifs. Certains croient que nos ancêtres ont plutôt découvert le sens de la fête auprès des Amérindiens, ce qui m'apparaît fort plausible.

Toujours est-il que le comportement social des Québécois ne ressemble absolument pas à celui des sociétés du Nord, façonnées par leur climat et par l'influence puritaine du protestantisme.

Sans vouloir sombrer dans les généralisations caricaturales, les Scandinaves et les Finlandais, un peu moins les Danois, ont une culture plus austère, plus réservée et plus disciplinée que la nôtre. Les Québécois, qui vivent pourtant dans un climat vraiment plus rude, du moins l'hiver, n'ont pas les caractéristiques comportementales que l'on associe à l'âpreté du climat.

Cette affinité avec l'été, le soleil et la chaleur que j'ai décrite dans ce chapitre n'est pas qu'une parenthèse, une espèce d'hyperactivité estivale pour profiter des beaux mois. Elle correspond plutôt, à mon avis, à quelque chose de profond dans la psyché québécoise, à un ensemble de comportements assez typiques et assez enracinés pour être décrits comme des traits qui contribuent à composer la culture québécoise. Entendons-nous : les Québécois ne sont quand même pas des Romains ou des Marseillais, mais la culture originale qu'ils ont développée est de moins en moins une culture du Nord et comporte de nombreux éléments que l'on associe d'habitude à des sociétés au climat plus clément. Tant et si bien que les éléments qui définissent l'âme québécoise sont davantage inspirés par la saison chaude que par la saison froide.

J'ajouterais que ces traits culturels plus méridionaux sont relativement récents dans notre histoire. C'est ce que nous allons regarder de plus près dans le prochain chapitre.

— 7 —
La culture de l'hiver, c'est celle du passé.

Au chapitre précédent, j'ai voulu montrer que ce qui définit le mieux les Québécois, que ce qui contribue le plus à façonner leur identité, c'est l'été et sa chaleur, bien plus que l'hiver et sa froidure.

Pourtant, l'hiver occupe une place majeure dans notre culture, dans notre folklore et dans la construction mentale que nous nous sommes faite du Québec. Nos traditions, nos références communes, une bonne partie de notre patrimoine sont largement hivernaux. Pour s'en rendre compte, il suffit de faire un petit exercice mental qui n'a rien de scientifique. Fermez les yeux, et laissez votre esprit aller chercher des images du Québec d'autrefois. Il y a de bonnes chances pour qu'elles soient hivernales : carrioles dans la neige, messes de minuit traditionnelles, capots de chat, ceintures fléchées et cabane à sucre. Notre folklore, notre tradition orale, et donc un bon pan de notre identité, sont nourris par l'hiver.

N'y a-t-il pas là comme un paradoxe, une certaine contradiction ? Pas vraiment. Il est vrai que l'hiver est très présent dans la culture québécoise, mais les rapports des Canadiens français avec l'hiver ont évolué au fil des siècles dans un cheminement tortueux. Il y a d'abord eu le choc des premiers arrivants, pour qui l'hiver a été une épreuve. Ensuite, nos ancêtres se sont graduellement acclimatés à l'hiver, qu'ils ont apprivoisé et qu'ils ont appris à aimer.

Ce lien privilégié avec l'hiver reflète toutefois, selon moi, un passé révolu. Nous sommes entrés, depuis une cinquantaine d'années, dans un autre cycle, amorcé avec la Révolution tranquille, qui nous en éloigne progressivement.

La grande rupture de la Révolution tranquille a poussé les Québécois, dans leur effort collectif pour moderniser la société québécoise et lui permettre de rattraper les autres sociétés avancées, à couper, un à un, les nombreux liens qui les rattachaient à un passé dont ils voulaient s'affranchir. Ils ont rompu très brutalement avec l'Église catholique, longtemps au centre de leur vie, assez pour rejeter ses institutions, comme la pratique religieuse ou le mariage, assez pour laisser s'effondrer leur taux de natalité grâce à la contraception. Ils ont coupé avec leur mode de vie rural et villageois pour devenir la société la plus urbanisée au Canada. Ils ont participé à la construction d'un État moderne et à un processus d'industrialisation qui a encore plus marginalisé l'agriculture, leur principale activité économique pendant des siècles. Ces transformations économiques et leur départ pour la ville ont également sonné le glas de la famille étendue traditionnelle.

Ils ne se sont pas arrêtés là. Je crois que les Québécois, devenus urbains et modernes, ont aussi remis en cause leurs rapports ancestraux à l'hiver, ceux de leurs parents et de leurs grands-parents, qu'ils associaient à la ruralité et à la tradition. La nordicité est en quelque sorte passée dans le tordeur de la modernité !

Il est vrai qu'on chante toujours «mon pays, ce n'est pas un pays, c'est l'hiver», mais je dirais que le monde que chante Gilles Vigneault, et qui touche une corde sensible chez les Québécois, n'est pas celui de la majorité des Québécois, tant au plan spatial que temporel. Gilles Vigneault vient de Natashquan, un petit village de la Côte-Nord, pas loin d'où s'arrête la route 138. C'est le genre de village perdu que les Québécois ont collectivement choisi de fuir, et qui appartient au véritable Nord, auquel on a tourné le dos. L'œuvre de Gilles Vigneault comporte aussi une dimension folklorique, des références nombreuses à notre passé et à nos traditions. Cela vient renforcer mon argument. La plupart de ses grandes chansons, *La Manikoutai*, *La danse à Saint-Dilon*, *Jos Montferrand* et toutes les autres, aussi belles soient-elles, font appel à notre nostalgie et chantent un passé dont nous nous sommes détachés.

NOTRE PASSÉ FRANÇAIS

On explique souvent nos rapports difficiles avec l'hiver par l'origine française des premiers colons européens, ancêtres de la plupart des Québécois dits de souche, provenant de régions plus clémentes et mal adaptées au froid. Cette explication ne me paraît pas bien convaincante, ou du moins, elle ne me paraît pas suffisante.

Il est vrai que la Nouvelle-France, dans sa première vague de peuplement européen, a été colonisée par des Français qui provenaient très majoritairement de provinces du nord et de l'ouest de la France. Selon les études de Marcel Trudel, la distribution par province d'origine des émigrants français arrivés au Canada montre que plus de 70 % d'entre eux provenaient de six des 38 provinces françaises : la Normandie (19,6 %), l'Île-de-France (17,8 %), l'Aunis (11,9 %), le Poitou (10,5 %), le Perche (5,3 %) et la Saintonge (5,1 %)[15]. Ces provinces, ni méditerranéennes ni latines, ne sont pas pour autant nordiques. Les contingents d'immigrants qui les ont joints par la suite, d'abord ceux des îles britanniques et ensuite ceux de pays comme l'Italie, n'ont rien fait non plus pour réconcilier les Québécois avec la nordicité.

Il est vrai que tous ces Européens qui ont émigré en Nouvelle-France n'avaient pas la longue relation avec le Nord qu'ont eue les peuples scandinaves, dont les origines remontent à l'âge de bronze et dont les historiens romains parlaient déjà. Cette tradition de deux millénaires a permis de façonner une culture adaptée à la géographie et au climat. Nos ancêtres français ne sont arrivés sur nos berges qu'il y a 350 ou 400 ans, ce qui est relativement peu pour construire une culture. Des exemples historiques nombreux nous rappellent que trois ou quatre siècles, c'est court dans la mémoire collective des peuples. Bien des crises d'aujourd'hui s'expliquent par des phénomènes qui remontent à bien plus loin.

Mais est-ce que l'argument peut servir à expliquer la différence entre nos rapports à l'hiver et ceux des Scandinaves? Pas vraiment. Les exemples sont multiples, sur ce continent, celui du Nouveau Monde, de populations migrantes, comme l'étaient les colons français, qui se sont parfaitement adaptées au climat de leur nouveau pays. Est-ce que les Brésiliens d'aujourd'hui, dont les ancêtres étaient Portugais, pleurent le climat austère de leur mère patrie? Est-ce que les Texans d'origine européenne, la moitié de la population, le plus souvent originaires d'Angleterre, d'Irlande ou d'Allemagne, ont des regrets pour les pluies froides du Sussex ou de la mer du Nord? Pourquoi les Québécois pesteraient-ils contre le climat par nostalgie de ce que leurs lointains ancêtres ont connu à Caen ou à La Rochelle?

LE CHOC CULTUREL

Je propose plutôt une autre explication, qui va dans le sens de ce que j'ai essayé de montrer dans les chapitres précédents. Si les Québécois expriment toujours un malaise face à l'hiver, quand on les compare aux Scandinaves, ce n'est pas en raison de leur passé, mais en raison de leur présent ; ce n'est pas à cause de leur point d'origine, c'est à cause de leur point d'arrivée. Si les colons français et leurs descendants canadiens-français ont eu du mal à accepter l'hiver, ce n'est pas par nostalgie du climat français, ce n'est pas parce qu'ils n'étaient pas nordiques au départ, c'était tout simplement parce que le pays qu'ils ont découvert et colonisé était à bien des égards invivable. S'ils étaient tombés, après avoir traversé l'Atlantique, sur un climat qui ressemble à celui de Copenhague, ils se seraient sans doute habitués.

Mais les Français, en débarquant en Nouvelle-France, ont découvert une terre hostile. Les déboires des premiers explorateurs et des premiers colons ont marqué l'imaginaire. Les premières incursions des Français ont été carrément meurtrières. Après un premier voyage en 1534 qui a été un aller-retour, Jacques Cartier est revenu en Nouvelle-France pour une deuxième expédition, en 1541-1542, lors de laquelle il s'est établi pour l'hiver. Son équipe a été décimée par le froid et par le scorbut, jusqu'à ce que les autochtones lui fournissent la recette d'une tisane capable d'enrayer la maladie. S'il n'a pas passé l'hiver en Amérique lors de sa troisième expédition, en 1542-1543, son supérieur hiérarchique, Jean-François de La Rocque de Roberval, est resté pour fonder une habitation. Il perdra 50 de ses hommes, décimés par le scorbut, la dysenterie et le froid, et rapatriera les survivants. Après un long délai parsemé d'autres échecs français – l'île de Sable en 1598, Tadoussac en 1600, l'île Sainte-Croix, au large du Maine, en 1604 – Champlain amorcera la colonisation de Québec en 1608, mais encore là, les débuts seront difficiles. Lors du premier hiver, à peine huit personnes survivront, dont Champlain, sur un total de 28, à cause du froid, du scorbut et de la dysenterie. Ces échecs et ces épreuves provoqueront ce que le sociologue Alain Brunel a qualifié, avec bonheur, de «traumatisme d'origine». Ce choc initial a affecté la colonisation. Les menaces de l'hiver et celles des Iroquois contribuent certainement à expliquer la lenteur de la colonisation de la Nouvelle-France quand on la compare à celle de la Nouvelle-Angleterre. Elles expliquent aussi l'image que la France se faisait de la Nouvelle-France, notamment les «quelques arpents de neige» de Voltaire au milieu du XVIIIe siècle. Elles ont marqué les premiers Canadiens et façonné notre mémoire collective.

Ce choc initial s'est doublé, à mon avis, d'un autre facteur. Après la période où le commerce de la fourrure a constitué le principal attrait de la métropole pour la colonie, le Québec s'est développé à travers l'agriculture. La population québécoise était rurale, la principale activité économique et le principal moyen de subsistance étant l'agriculture, ce qui tenait en bonne partie à la disponibilité des terres, à leur fertilité et à un climat estival propice. Nos ancêtres étaient plus dépendants de l'agriculture que les habitants des pays scandinaves, là où la mer et la forêt ont joué un rôle plus important. Pour une société dont la vocation est surtout agricole, qui dépend de ce que la terre lui donne pour son bien-être et sa survie, l'hiver n'est pas un allié, mais plutôt un ennemi. Car un printemps précoce et une arrivée tardive des gels automnaux, donc un hiver court, sont un gage d'abondance. Assez pour colorer les rapports à l'hiver. Ce qui est moins le cas pour les populations qui vivent de l'activité forestière, là où l'hiver peut être un allié.

BÂTIR UNE CULTURE

Si les débuts de la colonie ont été difficiles, les Canadiens français ont appris à survivre à l'hiver, puis à le maîtriser, à prospérer malgré l'âpreté du climat. Ils ont développé des pratiques agricoles mieux adaptées et plus à même de nourrir les habitants, des réseaux de transports et certaines industries, comme la forêt. Ils ont aussi appris à construire des maisons conçues pour l'hiver, à se vêtir pour mieux se protéger du froid. Ils ont progressivement développé une culture hivernale, assez pour que l'image mentale que nous avons de nous-mêmes soit basée sur cette réalité hivernale et sur le mode de vie qu'elle a engendré.

L'hiver et le froid ont aussi joué un rôle central pour permettre aux Québécois de se distinguer des autres, de développer une identité qui leur est propre. La différence et l'unicité québécoises proviennent en partie des liens originaux que les colons ont développés avec les autochtones, ce que l'on a appelé « l'ensauvagement » et qui a permis de distinguer les premiers Canadiens des Français. Elle tient aussi au caractère nord-américain de la société québécoise, à ses siècles d'interaction avec les Britanniques, à sa langue française dans un continent anglophone. Mais, dans ce cocktail d'influences, l'hiver a joué un rôle important pour définir le Québec par rapport au reste du monde.

L'hiver nous a non seulement permis de nous distinguer, mais nous a aussi permis de nous affirmer et de nous valoriser. C'est la réalité de l'hiver qui a donné naissance à l'image d'un peuple tenace, résilient, capable d'affronter les rigueurs du climat, âpre au travail. De très nombreux peuples définissent leur courage par leurs prouesses guerrières. Nous, comme nous avons perdu nos batailles, nous avons plutôt défini notre courage par notre combat contre une nature difficile.

Cette image est renforcée par le regard que les autres peuvent avoir sur nous, encore aujourd'hui. Nous sommes fiers, quand nous allons à l'étranger, de parler des températures extrêmes que nous devons affronter. Une espèce de virilité collective, si j'ose dire, d'un peuple qui n'est pas un peuple de moumounes.

J'ajouterais que notre rapport traditionnel à l'hiver, et c'est l'envers de la médaille, est sans doute coloré par un autre trait de notre personnalité collective, celui de la résignation d'un peuple qui acceptait son sort, le fatalisme religieux par rapport à ce que la Providence nous avait réservé, la mentalité d'être né pour un petit pain.

Ce n'est donc pas un hasard si les principaux piliers qui définissent la culture de notre société sont fortement colorés par l'hiver. À commencer par nos fêtes et nos réjouissances. À part les épluchettes de blé d'Inde et les feux de la Saint-Jean, les moments festifs traditionnels de la vie québécoise étaient essentiellement hivernaux, notamment les célébrations des Fêtes, qui occupaient une place importante, en raison du fait que notre vie quotidienne était largement définie par le rythme imposé par la religion catholique, mais aussi parce que le début de l'hiver permettait une pause dans les durs labeurs du travail de la terre. Mais au-delà de Noël et du jour de l'An, les pratiques festives, des parties de sucre aux sets carrés, étaient aussi largement hivernales.

C'est également vrai des loisirs qui se sont développés au Québec, comme le patin, les courses de carriole ou la raquette. Le Québec n'a pas été connu pour ses habitudes de baignade. Et plus tard, ce qui est devenu notre sport national, le hockey, était aussi un sport d'hiver.

Cette culture hivernale, on la voit aussi dans nos façons de manger. Notre patrimoine alimentaire, largement axé sur le porc et le lard, les pommes de terre et les légumes racines, correspond à ce que nous appelons maintenant des plats d'hiver. Les plats typiquement québécois, qui, on le sait, sont largement inspirés des traditions britanniques, sont caloriques, lourds, capables de fournir de l'énergie pour supporter le froid et les travaux exigeants : tourtières, cipâtes, fèves au lard, ragoût de boulettes et, plus tard, la dinde. Des desserts riches et des aliments de conservation, confitures, marinades, ketchups. Des aliments que l'on pouvait stocker pour la saison froide. Il n'y a pas, dans nos traditions, beaucoup de recettes de légumes, de salades ou de soupes froides.

On voit aussi cette culture traditionnelle hivernale dans notre façon de nous habiller, quoique cela s'explique en partie par le fait qu'en dehors de la saison froide, le Québec n'avait pas de spécificité vestimentaire. Ce qui était bien québécois, c'était la fourrure, avec les capots de raton laveur, ou encore les manteaux de laine, les tuques et les ceintures fléchées de nos ancêtres. On sait aussi que même l'été, la garde-robe hivernale se transformait peu et que longtemps, on est restés très habillés même quand il faisait chaud.

On la voit dans notre production culturelle traditionnelle, parce que l'hiver inspirait nos artistes, mais aussi parce que c'était ce qui donnait à notre culture son caractère distinctif. Daniel Chartier, professeur d'études littéraires à l'UQAM, estime que « depuis longtemps, la nordicité et l'hivernité agissaient comme des marqueurs de la différence québécoise face à la culture française, et souvent comme un enracinement dans le territoire. Le Québec peut se définir non seulement comme une société nord-américaine et de langue française, mais également comme une culture nordique et hivernale[16] ».

Les personnages de l'imaginaire québécois, ceux de nos chansons ou de notre tradition orale, reflètent cette même culture hivernale – les coureurs des bois, les draveurs, les *raftsmen*, Jos Montferrand, le Bonhomme Carnaval, le curé Labelle, Maurice Richard (à l'époque où le hockey était un sport d'hiver) sont tous des héros du Nord. Chez les peintres québécois traditionnels comme Cornelius Krieghoff, Clarence Gagnon, Jean Paul Lemieux, le thème de l'hiver et de la neige est omniprésent. Et même le cinéma québécois, à ses débuts, était fortement marqué par l'hiver, celui de Gilles Carle avec *La vie heureuse de Léopold Z*, celui de Michel Brault avec *Kamouraska* et *Mon oncle Antoine*, sans oublier *La guerre des tuques* d'André Melançon. C'était vrai dans les films d'auteur des années 1960, où les références à l'hiver étaient si nombreuses que me restent en mémoire d'interminables plans-séquences de personnages qui marchent dans la neige. Une présence de l'hiver qui s'explique en partie par le fait que cette neige, ce froid donnaient à nos films une texture visuelle unique.

L'hiver était aussi présent dans les premiers pas de la télévision, avec *Les belles histoires des pays d'en haut* ou *Le survenant*. Ces sagas de la radio, qui sont devenues des épopées télévisuelles, décrivaient un univers rural et donc hivernal. Dans la chanson aussi, jusqu'à Gilles Vigneault, on a beaucoup chanté l'hiver.

ET MAINTENANT?

Tout cela a changé. Contrairement aux Russes, les Québécois boudent maintenant la fourrure, même si ce fut la base de notre économie et de notre identité vestimentaire. Elle a été sacrifiée à l'autel de la protection des animaux. Le hockey, notre sport national, est devenu un sport d'aréna, un sport d'intérieur. En alimentation, on fait quelques rappels de nos traditions dans le temps des Fêtes, on reproduit pendant quelques jours les recettes de nos mères et grand-mères, de la dinde, des tourtières, des ragouts, des desserts, jusqu'à ce que notre système digestif se révolte. On ira peut-être de temps à autre à une cabane à sucre. On ne boit plus ce qui fut notre boisson nationale, le caribou.

On a tellement renié nos traditions culinaires qu'elles ont été largement évacuées de la restauration, pourtant en pleine ébullition. Quelques rares chefs, comme Martin Picard du Pied de cochon, ont revisité les mets traditionnels et les ont réinventés, mais les restaurants québécois ont peu fait pour raffiner nos plats traditionnels, qu'il s'agisse du pâté chinois ou du jambon au four. Ce qu'on appelle le terroir, dans la restauration, réfère davantage à l'utilisation de produits locaux contemporains qui ne correspondent pas à une quelconque tradition.

Cette coupure, on la sent également en culture. À la télévision, Séraphin a cédé la place à *Occupation double* dans les Baléares ou en Polynésie française. «L'hiver a tendance à disparaître du patrimoine artistique québécois contemporain: nous avons remarqué qu'il est moins présent dans l'œuvre culturelle québécoise, y compris au cinéma[17]», observe Élise Salaün, professeure de littérature à l'Université de Sherbrooke et au Middlebury College, au Vermont. Cette dernière est aussi chercheuse associée au Laboratoire international d'étude multidisciplinaire comparée des représentations du Nord, à l'UQAM.

On retrouve quelques survivances du thème de l'hiver dans le cinéma contemporain, comme dans *Curling* ou *Le vendeur,* qui cependant reflètent moins, selon moi, une préoccupation identitaire que le fait que le froid et la neige donnent à nos films une signature visuelle, une carte de visite qui les distingue. On aura une nouvelle version de Séraphin. On retrouvera évidemment quelques références à l'hiver dans la chanson québécoise, mais c'est une proportion infime de notre énorme production musicale qui ne constitue certainement plus un thème dominant.

UN SIGNE DE RUPTURE

Voilà autant de signes et d'indices qui semblent clairement illustrer l'existence d'une rupture des Québécois à l'égard de leur culture traditionnelle marquée par l'hiver. La principale explication que je donnais au début de ce chapitre, c'est que la nordicité est passée au tordeur de la modernité. Mais pourquoi? Pourquoi, au nom de la modernité, a-t-on largué l'hiver?

Le processus qui s'est amorcé lors de la Révolution tranquille est vraiment profond. En se modernisant, dans les années 1960, les Québécois n'ont pas seulement coupé avec un mode de vie et des valeurs traditionnelles, comme le rejet assez brutal de la religion. Ils ont voulu, à certains égards, effacer ce passé qui, selon eux, ne correspondait plus à la définition de ce qu'ils étaient.

Le processus de rejet a consisté à déformer et à caricaturer le passé dont ils voulaient s'affranchir, par exemple en parlant de la Grande Noirceur pour décrire l'ère duplessiste, la période qui a précédé la Révolution tranquille, et à redéfinir le Québec en faisant abstraction de ce passé, par exemple en définissant les Québécois comme un peuple progressiste, ouvert sur le monde et solidaire quand l'histoire dit plutôt qu'il était religieux, replié sur lui-même et foncièrement conservateur et traditionaliste.

Pourquoi? Sans doute parce que certains pans de notre histoire, nos défaites militaires, la domination anglo-saxonne, le caractère retardataire à plusieurs égards de la société québécoise pouvaient difficilement nourrir la fierté collective. Faute d'avoir un passé glorieux, on a misé sur notre avenir.

Il me semble clair que, dans cet exercice de redéfinition de notre identité, les éléments de notre culture les plus associés à la tradition, à la religion, à la ruralité et à la pauvreté ont été les premiers à être voués aux oubliettes. C'est très clairement le cas de notre patrimoine hivernal. La modernité, c'était la ville, la dimension nord-américaine de notre personnalité, le travail de 9 à 5.

Il aurait pu en être autrement. S'il est évident qu'on ne voudrait plus apprivoiser l'hiver de la même façon qu'on le faisait il y a 100 ans, les Québécois auraient pu actualiser leur rapport à l'hiver, ils auraient pu réinventer une culture hivernale moderne et contemporaine, comme l'on fait les pays scandinaves.

Je note que les Québécois n'ont pas fait ce choix. Ils ont davantage choisi la rupture. Cela s'explique en partie, comme je l'ai montré, par les particularités climatiques du Québec, mais cela tient aussi à des phénomènes sociaux et qui auront tendance, dans les années à venir, à réduire encore davantage les rares éléments de nordicité que l'on retrouve dans l'identité québécoise. C'est ce que nous verrons dans le chapitre qui suit.

— 8 —
Des tendances lourdes nous éloignent d'une culture de l'hiver.

La Révolution tranquille nous a coupés de nos racines rurales, et par la bande de notre patrimoine hivernal. Mais ce processus de dissociation est loin d'être terminé. Les tendances lourdes qui s'expriment dans une société moderne comme la nôtre renforcent la mentalité du sud des Québécois et nous éloignent de l'idéal nordique dont certains rêvent encore. Ce processus est profond et il est irréversible. Le Québec de demain sera encore moins nordique que le Québec d'aujourd'hui.

Si je parle de tendances lourdes, c'est qu'il ne s'agit pas seulement d'effets de mode ou de sautes d'humeur après un hiver trop froid, mais de phénomènes profonds et durables – les bouleversements démographiques et les transformations de l'économie – qui ont d'importants impacts sur les mentalités et le mode de vie.

Ces tendances lourdes renforcent la propension que l'on observe déjà chez les Québécois à moins aimer l'hiver et à moins se reconnaître dans une identité nordique. Elles leur donnent aussi le goût, et les moyens, de fuir l'hiver.

Bien sûr, il y a des courants qui vont dans le sens inverse. Le désir de se rapprocher de la nature et la recherche d'une vie saine peuvent réveiller la nordicité qui sommeille, notamment à travers la pratique de sports hivernaux. Mais ces courants ne font pas le poids face aux pressions très fortes qui vont en sens contraire, provenant de mécanismes puissants comme l'urbanisation, l'immigration, le vieillissement, l'élévation du niveau de vie et la mondialisation, et qui ont toutes pour effet de nous éloigner de notre rapport traditionnel avec l'hiver.

L'URBANISATION

L'élément qui a le plus contribué à modifier nos attitudes envers l'hiver est très certainement l'urbanisation. Elle nous a éloignés de nos traditions, comme je l'ai souligné dans le chapitre précédent. Mais le déplacement vers les villes a un autre impact, beaucoup plus direct, et c'est que l'hiver est très souvent désagréable en ville, parfois même insupportable, ce dont même les amoureux de l'hiver conviendront.

La culture de l'hiver que les Québécois ont développée, comme on l'a bien vu dans le chapitre précédent, a été façonnée dans nos campagnes où nos ancêtres ont réussi à établir une relation relativement harmonieuse avec le climat. Dans un monde rural, le mode de vie est plus proche de la nature et s'adapte mieux à ses rythmes. L'hiver, une période de dormance pour la végétation et certains animaux, l'était aussi un peu pour les humains, qui se mettaient au chaud et dont l'activité devenait moins intense. La vie s'ajustait aussi aux cycles des jours et des nuits. On se couchait plus tôt l'hiver. On restait chez soi les jours de tempête.

Le problème, c'est que les Québécois vivent maintenant dans les villes, non plus à la campagne, et que le mode de vie urbain n'est pas compatible avec l'hiver. La population urbaine du Québec, de 15 % de la population totale en 1851, est passée à 40 % au tournant du siècle pour monter jusqu'à 63 % en 1941. L'exode rural s'est poursuivi après la Seconde Guerre, avec le développement des services et de l'économie tertiaire qui augmentaient encore plus le pouvoir d'attraction des villes. Selon le recensement de 2011, 81 % des Québécois habitent dans les villes[18].

LA CULTURE URBAINE DE L'HIVER

C'est quoi, l'hiver, pour cette population très majoritairement urbaine? Norman Pressman, grand spécialiste des villes du froid, dans un colloque sur les villes d'hiver à Edmonton en 2015, posait la question dans les termes suivants: comment rendre les villes «plus vivables». Ça dit tout.

En ville, on n'ajuste pas son mode de vie à la nature, on voudrait plutôt que ce soit la nature qui s'ajuste, ce qui ne fonctionne évidemment pas. D'où le conflit. Le mode de vie urbain, tout comme celui des banlieues, est défini par un rythme de travail où domine le 9 à 5, ce qui exige des gens qu'ils poursuivent leurs activités, peu importe les aléas climatiques.

Dans un mode de vie urbain, l'hiver, quand il manifeste des excès, est d'abord et avant tout un obstacle pour le travail, le magasinage, l'école, les loisirs. C'est le déneigement des autos, le déblaiement des rues, absolument nécessaire en ville, le calcium et le sable qui salissent et qui tachent, les bancs de neige à franchir, la sloche et l'eau sale quand il y a dégel, les chaussées glissantes, le trafic. Dans un mode de vie urbain, l'hiver impose aussi des contraintes vestimentaires, parce que les vêtements adaptés à l'hiver ne sont pas ceux qui sont les plus appropriés pour le travail.

Bref, beaucoup d'inconvénients. Et les avantages? La beauté de l'hiver, on la retrouve surtout à la campagne. En ville, les émotions esthétiques sont rares, sauf les lendemains de tempête, quand la neige est encore blanche. Il y a là peu d'activités hivernales qui rendent la vie plus facile, car c'est surtout en dehors des centres urbains qu'on les pratique. L'hiver, en ville, est d'autant moins agréable que le réchauffement des centres urbains provoque plus souvent des revirements de température brusques. Bref, pour les urbains, l'hiver, c'est d'abord et avant tout une foule de tracas, petits et grands.

Cette difficulté de vivre l'hiver en ville a donné lieu à une foule de stratégies d'adaptation, comme le développement du réseau sous-terrain montréalais. Dans l'Ouest, dans le centre-ville de Calgary ou d'Edmonton, les immeubles sont reliés par des passages aériens. Mais ces stratégies, pas toujours heureuses, expriment un désir de nier l'hiver, de développer un mode de vie qui en fait abstraction et reflète une culture urbaine qui réagit sans enthousiasme aux appels de la nordicité.

Ce processus de distanciation face à l'hiver que favorise l'urbanisation n'est pas terminé : l'affaiblissement des régions au profit des centres urbains se poursuit. De plus, on observe, à l'intérieur de l'urbanisation, un déplacement des citoyens des petites villes vers les grands centres urbains. En 2013, ce qu'on appelle, dans le jargon administratif, la région métropolitaine de recensement (RMR) de Québec, le Grand Québec, comptait 791 934 habitants, soit 9,7 % de la population québécoise. La RMR de Montréal, le Grand Montréal, en comptait 3 981 802, soit 48,8 %. C'est ainsi que ces deux grands centres urbains regroupent près de 60 % de la population du Québec.

Ce renforcement des grandes villes n'a pas seulement des impacts de nature quantitative. Il a aussi un effet qualitatif. Les grandes villes ne sont pas que des destinations. Elles exercent un attrait, elles ont de l'influence. Il y a, dans la société contemporaine bombardée par la télévision et l'Internet, une attirance accrue pour les villes, à cause de leurs institutions scolaires, des opportunités d'emploi, mais aussi du type de qualité de vie qu'offre le milieu urbain – commerces, loisirs, culture, tolérance, diversité, liberté. Cela attire beaucoup les jeunes, les plus instruits et les plus productifs, qui ne choisissent pas la ville pour faire de la raquette dans les parcs, mais plutôt pour ses attributs urbains.

Cette culture urbaine exerce une influence plus grande qu'autrefois sur la société, car c'est aussi celle des médias, des vedettes, des leaders sociaux, dont le regard sur l'hiver, qui n'a rien de tendre, dominera le discours public et façonnera les perceptions. Si on pousse un peu la logique, on note que le Plateau-Mont-Royal est l'un des endroits du Québec qui exerce le plus d'influence et est aussi un de ceux où l'hiver est le plus pénible, à cause de ses rues étroites et de l'opposition obstinée au déneigement de son administration municipale !

L'IMMIGRATION

La coupure entre le monde urbain et l'hiver a été renforcée par un autre phénomène, l'immigration. Dans cette période de faible fécondité, c'est cette dernière qui contribue à la croissance de la population. Et ce sont les grands centres urbains qui profitent de cet apport. Selon l'Enquête auprès des ménages de Statistique Canada, on comptait 974 895 immigrants au Québec en 2011. De ce nombre, 86,8 % se retrouvaient dans la région métropolitaine de recensement de Montréal. Et à chaque année, un peu plus de 50 000 nouveaux immigrants s'ajoutent, qui, eux aussi, se concentrent dans la région montréalaise.

Pour la plupart, les nouveaux venus qui ne sont pas nés au Canada, tout comme ceux qui se sont établis ici dans les dernières décennies, ne sont pas, on s'en doute, originaires de pays nordiques. Quand ils arrivent, notre hiver rigoureux est un choc qui demande une difficile adaptation. En 2013, les principales origines des nouveaux venus étaient, dans l'ordre, la Chine, la France, l'Algérie, Haïti, le Maroc, l'Iran, le Cameroun, la Colombie, la Tunisie et le Mexique. Rien, dans leurs pays d'origine, n'avait préparé ces gens à ce qui les attendait. Et rien ne permet de croire que ce volet de la réalité québécoise ait soulevé leur enthousiasme. Ces Québécois d'autres souches que française, aussi bien intégrés soient-ils, ne se reconnaissent pas dans ces références culturelles à nos ancêtres et ne peuvent avoir le même attachement aux traditions hivernales.

Sur l'île de Montréal, en 2011, le tiers de la population est immigrante, soit 612 950 personnes sur 1 844 495, sans compter les enfants d'immigrants, les immigrants de deuxième et de troisième génération, qui conservent parfois une partie de leur identité d'origine[19].

Ces nouveaux venus, et surtout leurs enfants, s'adapteront à l'hiver, ils apprendront à patiner, à jouer au hockey, à s'habiller pour bien se protéger du froid. Mais il est peu probable qu'ils intègrent pleinement cet hiver à leur identité et encore moins qu'ils se reconnaissent dans les références historiques et folkloriques des Québécois de souche. Ça prend combien de temps pour que des immigrants, ou leurs enfants, puissent considérer comme leurs propres ancêtres les fiers colons qui ont combattu courageusement le froid?

Le phénomène de l'immigration est assez puissant, et installé depuis assez longtemps, pour colorer la perception de l'hiver des populations urbaines et contribuer à leur éloignement de la nordicité.

LE VIEILLISSEMENT

Le troisième grand phénomène qui contribue à modifier nos rapports à l'hiver est ce qu'on appelle le choc démographique. Toutes les sociétés avancées sont affectées par les impacts de la baisse du taux de natalité et du prolongement de la vie. Cela provoque un déplacement de la pyramide des âges, où les jeunes sont proportionnellement moins nombreux, et les personnes âgées plus nombreuses. Ce choc démographique engendre une foule de conséquences économiques et sociales, mais deux d'entre elles ont une incidence sur les rapports au froid et à l'hiver.

Ce vieillissement de la population est plus marqué au Québec que dans la plupart des autres sociétés industrialisées en raison du caractère exceptionnel de ses habitudes de reproduction. Le Québec affichait un taux de natalité très élevé à la fin de la Seconde Guerre, au moment du baby-boom. Quinze ans plus tard, dans un revirement spectaculaire, il est devenu l'une des sociétés où le taux de natalité était le plus bas. La résultante de ce double record, c'est que le Québec se retrouve avec un contingent de baby-boomers, nés entre 1945 et 1960, plus important qu'ailleurs.

Et c'est là le premier effet du vieillissement sur nos rapports à l'hiver. Ces baby-boomers commencent à arriver à l'âge de la retraite. Ils gonflent la proportion des personnes âgées de plus de 65 ans, qui est en train d'exploser : 5,8 % en 1961, 8,8 % en 1981, 13,0 % en 2001, 15,7 % en 2011, 25,2 % en 2031, 27,5 % en 2051[20].

Cette transition est beaucoup plus rapide au Québec qu'ailleurs dans le monde industrialisé, tant et si bien qu'elle provoquera un choc que ne vivront pas la plupart des autres sociétés. En fait, le poids des retraités est encore plus grand parce qu'au Québec, on arrête de travailler plus tôt qu'ailleurs en Amérique du Nord, à 60 ans en moyenne plutôt qu'à 63 ans ailleurs au Canada et qu'à 65 ans aux États-Unis.

Quel est le lien entre l'hiver et le fait que la proportion des Québécois à l'âge de la retraite soit devenue beaucoup plus importante et le deviendra encore plus ? C'est que les retraités sont plus mobiles que ceux qui sont encore au travail, ils ne sont pas prisonniers de leur emploi, et ils ont des choix, notamment celui de choisir des cieux plus cléments, d'autant plus qu'ils ont souvent de bonnes conditions de retraite, surtout dans le secteur public.

De plus, ces citoyens plus âgés vivront plus longtemps qu'avant, grâce aux progrès de la science et aux changements dans les habitudes de vie. Ce prolongement de la vie, qui n'est pas spécifique au Québec, est saisissant. L'outil le plus utilisé pour mesurer la longévité, l'espérance de vie à la naissance, ne permet pas de bien saisir la portée du phénomène, parce que cette donnée sera influencée par des facteurs comme les succès contre la mortalité infantile ou les accidents de la route. On sait que cette espérance de vie à la naissance était de 84,1 ans pour les femmes et de 80,2 ans pour les hommes au Québec en 2013.

Mais l'espérance de vie à 65 ans constitue une donnée plus significative, qui décrit mieux l'impact du vieillissement. Il s'agit du nombre d'années qu'une personne de 65 ans peut espérer vivre encore. En 2013, elle était de 19,2 ans pour les hommes et de 22,2 ans pour les femmes. Cela signifie qu'en moyenne, un homme de 65 ans a une chance sur deux de vivre jusqu'à 84 ans ou plus, et une femme une chance sur deux de vivre jusqu'à 87 ans ou au-delà. Cette espérance de vie augmente de 2,3 mois par année et donc d'un an tous les cinq ans. Cela a pour conséquence que la proportion de gens vraiment âgés est en augmentation. Pas les 60-70 ans, mais ceux qui ont 80 ans, 90 ans ou même plus. Une femme sur 20 au Québec vivra jusqu'à 100 ans.

Or, on sait que les désagréments de l'hiver sont plus grands à mesure que l'on avance en âge : la fatigue imposée par les tâches de l'hiver, une résistance moins grande au froid, surtout quand s'installent les maladies respiratoires, et les risques infiniment plus grands de chutes et de blessures dont les conséquences peuvent être catastrophiques. Les fractures de la hanche, par exemple, en plus d'exiger un temps de guérison plus grand chez les personnes plus âgées, peuvent avoir des conséquences fatales liées à l'hospitalisation, aux séquelles opératoires aux effets démoralisants de la perte de mobilité.

Pour des personnes âgées, l'hiver peut devenir une véritable épreuve, et les pousser à s'enfermer à la maison, à ne pas oser sortir de peur des accidents, en comptant par exemple sur les livraisons à domicile au lieu de faire leurs courses. Avec les conséquences psychologiques du confinement à l'intérieur, les risques d'isolement, le sentiment de ne plus pouvoir, pour de longs mois, vivre une vie normale. Assez pour renforcer le désir, pour ceux dont la santé le permet, d'aller là où ils redeviendront des citoyens à part entière.

LA MONDIALISATION

Les Québécois n'ont pas fait que quitter leurs villages pour les grandes villes ou leurs banlieues. Ils ont mis fin à leur repli traditionnel, ils sont sortis de leur bulle et se sont ouverts au monde. Ils sont assez nourris par les médias traditionnels et les nouveaux médias pour en savoir beaucoup plus sur le monde qui les entoure. Ils ont voyagé. Le nombre de voyages en avion des Québécois vers les États-Unis ou les autres pays a quintuplé de 1972 à 2014 ! Ils ont été en contact avec l'immigration. Un nombre croissant d'entre eux ont étudié ou travaillé à l'étranger. Assez pour que toutes ces expériences et ces influences aient changé leur façon de vivre.

Il suffit de regarder ce qui se passe du côté de l'alimentation. Il y a 25 ans, le pad thaï était un met exotique dont la plupart des Québécois n'avaient jamais entendu parler. Maintenant, on en trouve dans des chaînes de restauration rapide et les gens peuvent en faire chez eux avec des ingrédients qu'ils trouvent chez Métro en suivant une recette de Ricardo. Dans le même ordre d'idées, de 1980 à 2000, on ne trouvait que 19 références au quinoa dans les médias francophones répertoriés par Cedrom, le plus souvent dans des articles de voyage ou des textes médicaux sur la maladie cœliaque. De 2000 à 2015, on en trouve 3309, parce que cette pseudocéréale fait maintenant partie de l'alimentation normale, et on peut l'acheter chez Costco.

Cette ouverture a toutes sortes d'effets sur les rapports des Québécois avec la culture nordique. Ils découvrent le monde. Mais parce qu'ils ont vu autre chose, ils savent que nous sommes à peu près les seuls à subir le genre d'hiver qui est le nôtre, et sont sans doute moins fatalistes et résignés que leurs parents et leurs grands-parents. Ils sont plus mobiles et peuvent sauter beaucoup plus rapidement dans un avion. Ils savent ce qui se passe ailleurs, assez pour avoir le goût d'y aller.

Cette globalisation a un autre effet, celui de renforcer notre intégration au reste du continent. Les Québécois, qui se sont longtemps définis comme des Français d'Amérique, se voient maintenant bien plus comme des Nord-Américains qui parlent français. Leur maîtrise croissante de l'anglais et la pénétration de la culture américaine, particulièrement chez les jeunes, bombardés par le cinéma, les séries télé, les jeux vidéos et les médias sociaux, font en sorte que les Québécois se sentent de plus en plus nord-américains et se comportent aussi de plus en plus comme des Nord-Américains.

Il y a de grandes différences entre nous et nos voisins, mais notre façon de vivre, nos loisirs, notre habitat, largement dépendant de l'étalement urbain, nos villes, nos façons de consommer sont essentiellement nord-américains, assez pour que cela contribue à façonner nos perceptions, à nous éloigner de nos origines rurales et à influencer notre façon de voir l'hiver et le froid, à mesure que nous voyons davantage les choses avec un regard du sud.

L'ÉLÉVATION DU NIVEAU DE VIE

Il y a enfin une autre tendance de fond, l'enrichissement. Le Québec fait partie des sociétés riches de la planète. Pas assez, à mon avis, car nous sommes un peu sous la moyenne des pays de l'OCDE, mais il n'en reste pas moins que ce niveau de vie, même s'il reste insatisfaisant, a considérablement augmenté, surtout dans les années 1960 et 1970. Le produit intérieur brut par habitant, exprimé en dollars d'aujourd'hui, s'élevait à 15 836 $ en 1961 et à 44 499 $ en 2011 Le niveau de vie a ainsi triplé en 50 ans.

Ce niveau de vie élevé se traduit concrètement dans notre mode de vie, pour le meilleur et pour le pire. On le constate par le fait que les Québécois sont de plus en plus propriétaires, que le nombre de leurs voitures a sensiblement augmenté, qu'ils ont accès à des produits de consommation autrefois inaccessibles, comme des électroménagers, des télés à écran géant, des ordinateurs... et ils sont aussi plus endettés !

Une autre manifestation de l'élévation de ce niveau de vie, c'est que les Québécois disposent d'une marge de manœuvre financière, d'un budget discrétionnaire qui leur permet, entre autres, de consacrer des ressources à leurs loisirs, notamment le voyage. On l'a vu à l'hiver 2014-2015, dont la rigueur a fait augmenter les départs vers le Sud de 30 %.

UN VÉRITABLE EXODE

Si on résume, les Québécois ont basculé dans une culture urbaine qui les éloigne de l'hiver parce que l'hiver est peu agréable en ville, que cette méfiance de l'hiver est renforcée par le vieillissement et le rapport plus difficile des plus vieux avec le monde hivernal, et que les immigrants y adhèrent moins. La tradition nordique s'affaiblit. Tous ces facteurs renforcent le rejet de l'hiver et le développement d'une mentalité d'été, d'une culture du sud qui nous mène à exprimer davantage le Sud qui bourgeonne en nous que le Nord qui sommeille en nous.

D'un autre côté, une proportion croissante de Québécois arrive à l'âge de la retraite : ils sont plus ouverts au monde, ils ont plus d'argent dans leurs poches et donc ils disposent de façon plus claire d'un outil pour réagir à l'hiver : partir.

L'expression consacrée consiste à dire qu'ils trouvent que l'herbe est plus verte chez leurs voisins. Dans notre contexte, il serait plus précis de dire qu'ils peuvent être tout simplement tentés d'aller là où il y a de l'herbe !

Tout cela mène à une forme d'adaptation dont j'ai brièvement parlé, la fuite vers le soleil. Elle a pris des proportions si importantes qu'elle est devenue un véritable phénomène de société et qu'elle mérite que j'y consacre un chapitre entier, le prochain.

— 9 —
Dans un véritable exode,
les Québécois fuient vers le Sud.

On sait que les Québécois, tout comme les autres Canadiens, sont attirés par les destinations-soleil. On connaît l'exode vers la Floride des *snowbirds* québécois, qui vont passer quelques mois dans cet État pour éviter les rigueurs de l'hiver. On sait à quel point les Québécois s'envolent aussi vers les îles, surtout vers Cuba ou vers la République dominicaine, à Noël ou pendant les vacances scolaires, pour mettre temporairement leur hiver entre parenthèses tropicales.

Mais je ne crois pas qu'on se rend compte de l'amplitude de ces mouvements. Ils sont tellement massifs qu'on peut franche-ment parler d'une véritable émigration saisonnière, un vaste mouvement de transhumance, comme si les Québécois étaient d'une certaine façon un peuple de nomades.

Les statistiques sont incomplètes et difficiles à décoder. Je pars des données de 2010 de Statistique Canada parce que l'organisme fédéral, une des grandes victimes des choix du gouvernement Harper, a dû mettre fin à certaines enquêtes. C'est donc la dernière année pour laquelle nous disposons de statistiques plus complètes. À partir de ces données, j'ai dénombré 2,3 millions de départs de Québécois pour des destinations-soleil. Cela équivaut à 29 % de la population québécoise.

C'est énorme. Tellement énorme qu'on ne peut plus parler de tendance passagère ou de sautes d'humeur à l'égard de la météo, mais bien d'un phénomène de société. On peut sans exagérer décrire ces départs pour le Sud comme un élément du mode de vie québécois, un volet significatif de la culture québécoise.

DES CHIFFRES SAISISSANTS

Commençons par les États-Unis, qui sont pour des raisons évidentes la principale destination étrangère des Canadiens. En 2010, on dénombre 27 millions de déplacements de plus d'un jour de Canadiens vers les États-Unis. Je retiens les visites de plus d'un jour pour exclure les sauts de puce pour des achats ou un pique-nique dans les États limitrophes. En termes de nombre de déplacements, c'est New York qui arrive au premier rang, pour son pouvoir d'attraction, mais aussi parce que cet État est collé sur les deux plus grosses provinces canadiennes. En raison de sa proximité, il accueille beaucoup de touristes qui y font de très courts séjours, comme c'est le cas pour d'autres États limitrophes, le Vermont et le Maine pour les Québécois, le Michigan pour les Ontariens ou Washington pour les Britanno-Colombiens.

Pour bien comprendre les habitudes de voyage des Canadiens, il vaut mieux regarder le nombre de nuits passées aux États-Unis plutôt que le nombre de déplacements. Le tableau n'est alors plus le même. Pour le nombre de nuits, c'est la Floride qui domine, et de loin. Sur un total de 159,5 millions de nuits passées par des Canadiens aux États-Unis, le tiers, soit

53,9 millions, le sont en Floride. Cela tient au fait que les séjours moyens y sont longs, 17,4 jours, une moyenne gonflée par les longs séjours des *snowbirds*. Suivent la Californie (13,6 millions de nuitées), l'Arizona (11,3 millions), New York (9,7 millions), Washington (6,7 millions), Hawaï (6,5 millions), le Nevada (6,2 millions), le Texas (4,8 millions), le Michigan (3,8 millions) et la Caroline du Sud (3,3 millions).

Sur les 10 principales destinations, sept sont des États du Sud, chauds et ensoleillés. Ces sept États totalisent 94,5 millions de nuitées, soit les deux tiers du volume du tourisme canadien dans ce pays. Ces sept destinations-soleil attirent 7,8 millions de visiteurs : 3,1 millions en Floride, 1,5 en Californie, 1,4 au Nevada, 650 000 en Arizona, 449 000 en Caroline du Sud, 462 000 à Hawaï, 373 000 au Texas. Évidemment, on peut faire toutes sortes de nuances. Certains de ces voyages ont d'autres buts – le jeu au Nevada, les affaires au Texas ou en Californie –, mais la durée de séjour dans ces États, beaucoup plus longue que dans les autres États, dénote la présence d'une importante composante de voyages dont l'objectif est de vivre au chaud. Notons par ailleurs qu'il s'agit du nombre d'entrées, ce qui gonfle un peu les chiffres parce que bien des gens peuvent aller aux États-Unis plus d'une fois.

Après les États-Unis, la première destination des Canadiens est le Mexique, avec 1,4 million de départs, suivie de Cuba (1,0 million), le Royaume-Uni (880 000), la République dominicaine (753 000), la France (740 000), les autres destinations des Caraïbes (704 000) et l'Italie (376 000). Deux des trois principales destinations sont dans les tropiques, tout comme quatre des sept principales destinations, pour un total de 3,8 millions de départs, auxquels il faudrait ajouter les voyages en Amérique centrale, en Amérique du Sud et en Océanie, qui peuvent être attribuables à la recherche d'un climat tropical.

Pour le Québec, les données sont moins complètes. Les départs pour les États-Unis sont comptabilisés pour les régions américaines plutôt que pour les États individuels. On sait cependant que le Québec compte pour 25,3 % des départs pour la Floride en 2010, ce qui donnerait un total de 785 000 départs. Les départs pour les autres destinations américaines clémentes sont plus difficiles à obtenir, mais une estimation très prudente, 10 % du total, une proportion plus faible parce qu'on suppose que les Canadiens de l'Ouest sont plus nombreux à se diriger vers les États américains de l'Ouest, donnerait 380 000 départs. Pour un total de 1,165 million de visites vers les États américains ensoleillés.

Pour le reste du monde, on sait que les voyages des Québécois vers les Caraïbes comptent pour 35 % du total canadien, ce qui donne 863 000 départs. Par ailleurs, 20 % des voyageurs vers le Mexique sont des Québécois – une proportion moindre parce que les Canadiens de l'Ouest ont aussi facilement accès à ce pays – soit 271 000 départs. Cela donne un total de 1,134 million.

Dans l'ensemble, 54,6 % des départs outre-mer des Québécois se font pour le Sud, une proportion plus élevée que pour le reste du Canada, où les destinations-soleil ne comptent que pour 44,3 % du total.

Quand on additionne les départs des Québécois pour les États américains ensoleillés (1,165 million) aux départs pour les destinations-soleil d'outre-mer (1,134 million), on arrive à un total de départs vers le Sud de 2,3 millions, ce qui englobe, comme je l'ai dit plus haut, des personnes qui effectuent plus d'un voyage. Mais comme proportion, c'est quand même l'équivalent, en 2010, de 29 % de la population totale du Québec. C'est considérable.

Ce n'est pas un phénomène passager. Selon les estimations préliminaires de Visit Florida, l'agence touristique du *Sunshine State* qui tient des statistiques plus complètes sur ses visiteurs, l'État a accueilli, en 2014, 3,8 millions de Canadiens, une augmentation de 2,4 % par rapport à 2013. Pour la Floride, il s'agit d'une quatrième année record de suite. En 2014 donc, en appliquant la proportion de 25,3 %, on peut dire qu'il y a eu 961 400 visites de Québécois en Floride. On s'approche du million de visites par année.

Dans le seul comté de Broward, où se trouvent entre autres Fort Lauderdale et Pompano Beach, on dénombre chaque année l'arrivée de 500 000 Canadiens, très majoritairement des Québécois.

Non seulement les déplacements vers la Floride sont-ils en hausse, mais en plus, la durée des séjours tend à s'allonger. Les services économiques de la Banque TD ont trouvé le phénomène assez important pour y consacrer une étude. Cette dernière montre que le nombre de jours passés dans cet État a littéralement explosé (*voir figure 5*). De 2000 à 2012, les nuitées en Floride ont doublé, passant de 35 millions à plus de 70 millions! L'augmentation prononcée des dernières années s'explique en partie par le taux de change favorable et en partie par la crise qui a favorisé l'achat de propriétés aux États-Unis[21].

Figure 5 : Les nuitées des Canadiens en Floride

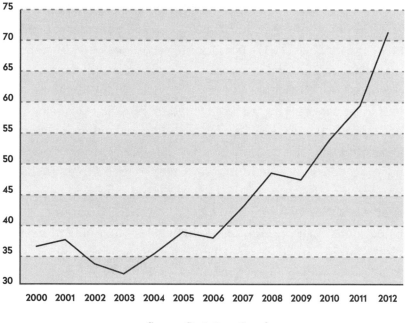

Journées passées par
les Canadiens en Floride (en millions)

Source : Statistique Canada.

LES OISEAUX DE LA NEIGE

Dans ces mouvements vers le sud, il faut distinguer deux dynamiques. La première, c'est le phénomène des *snowbirds,* les hivernants, qui partent dans le Sud pendant une longue période pour échapper à l'hiver, en général de trois à six mois, six mois étant la limite à ne pas dépasser si l'on veut conserver la couverture de la Régie de l'assurance maladie du Québec, un élément à prendre en considération, surtout pour les personnes plus âgées. La destination traditionnelle de ces *snowbirds* est la Floride, mais on note la popularité croissance de l'Arizona, connu pour son climat chaud, mais sec, où les séjours moyens sont aussi longs qu'en Floride. D'autres retraités plus aventureux choisissent le Mexique ou l'Amérique centrale.

Combien y a-t-il de *snowbirds*? On ne le sait pas vraiment. Les estimations varient de 500 000 à 700 000 Canadiens, peut-être donc de 125 000 à 175 000 Québécois, qui passent plusieurs mois dans le Sud, soit environ la population de villes comme Saguenay ou Sherbrooke. On peut mesurer indirectement leur importance en regardant la longueur moyenne des séjours en Floride, 21 jours par année en 2012, soit trois semaines. Quand on sait qu'un grand nombre de gens vont en Floride quelques jours, ou encore une semaine, ça prend une proportion importante de gens qui restent très longtemps pour faire grimper la durée moyenne du séjour à 21 jours. Un autre indicateur de l'importance du phénomène, c'est la grande proportion de gens qui choisissent l'automobile pour se rendre en Floride, 1,7 million contre 2,1 millions pour ceux qui prennent l'avion. Cela n'a de sens que pour de longs séjours.

L'impact économique de ce grand mouvement d'émigration est considérable. Lors de leur séjour, ces Canadiens dépensent annuellement 3,4 milliards, 1,2 milliard pour les Québécois, selon le *Soleil de la Floride*, le média de référence de cette diaspora francophone. Ils comptent aussi pour 35 % à 40 % des transactions immobilières. Ici et là-bas, le phénomène des *snowbirds* génère une industrie : assurances, fiscalité, agences immobilières...

L'étude de la Banque TD voulait entre autres vérifier de quelle façon ces mouvements de population seraient affectés par des facteurs comme la baisse du taux de change du dollar canadien. Elle arrive à la conclusion que si le taux de change affecte les courtes visites, les Canadiens qui font de longs séjours, les touristes hivernants, sont peu sensibles au taux de change.

«Ne nous y méprenons pas: la dépréciation du dollar canadien aura un effet sur les séjours des Canadiens dans les destinations prisées des touristes hivernants, comme la Floride, mais cette incidence sera moindre que ce que l'on pourrait croire. L'augmentation du nombre des *snowbirds* se fonde davantage sur une population vieillissante et sur un choix de mode de vie, ce qui rendra cette activité plutôt imperméable aux fluctuations du dollar canadien[22].»

Cela permet de croire que le mouvement de déplacement vers le sud risque d'aller en augmentant avec le vieillissement de la population. Cela confirme aussi mon argumentaire, voulant que l'attrait du Sud et le refus de la nordicité constituent des tendances très lourdes au sein de la société québécoise. Le «choix de mode de vie» dont parle la Banque TD reflète une conception de la qualité de vie et du bonheur où le froid et l'hiver ne sont pas perçus comme des composantes souhaitables.

LA CULTURE QUÉBÉCOISE

Derrière le phénomène économique se profile un phénomène socioculturel. Quand les Québécois vont dans le Sud, pour de longs séjours ou pour des séjours tout compris d'une semaine, ils ont une façon de faire, des codes, des traditions qui nous montrent que ces mouvements migratoires sont devenus une partie intégrante de la culture québécoise, un des éléments qui contribuent maintenant à en façonner l'identité. Non seulement les Québécois gardent-ils avec eux leur culture québécoise quand ils partent vers les destinations-soleil, mais ces voyages et ces séjours nourrissent et transforment la façon dont ils sont Québécois.

Le cas le plus connu, c'est celui de la Floride, parce que la présence québécoise y est ancienne, qu'elle y est massive et qu'elle est largement documentée. Il s'est développé en Floride, surtout dans le comté de Broward, une véritable sous-culture québécoise. Elle s'explique en bonne partie par le fait que, contrairement aux Canadiens anglais qui se fondaient dans le décor, les Québécois francophones, parce qu'ils parlaient peu ou pas anglais, ressentaient le besoin de se regrouper pour maintenir des liens sociaux et avoir accès à des commerces où ils pouvaient se faire comprendre.

Cette communauté, concentrée à Fort Lauderdale, Hollywood et Pompano Beach, a généré ses propres réseaux, ses institutions, ses médias, sa vie culturelle. Elle a été bien décrite, souvent sur le mode de la caricature, dans le cinéma québécois ou dans les médias américains. Elle est assez importante pour avoir attiré en Floride des artistes québécois, souvent sur le retour, mais en phase avec ce public vieillissant, comme Michel Louvain et Michèle Richard, qui ont participé en janvier 2015 à une croisière country.

La grande diversité de cette présence québécoise en Floride permet d'illustrer que le mouvement de transhumance traverse les classes sociales. Aller dans le Sud n'est pas qu'un luxe réservé aux privilégiés. On sait que, depuis longtemps, un grand nombre de *snowbirds* se sont installés en Floride dans des conditions assez modestes, très souvent dans des motels et plus encore dans des parcs de maisons mobiles.

On sait aussi qu'il existe de très nombreuses destinations bon marché accessibles à une grande partie de la population, traditionnellement des séjours tout compris à Cuba ou en République dominicaine, quoique la palette des destinations accessibles à une grande partie de la population s'élargit, et que les voyageurs plus expérimentés et plus audacieux s'aventurent de plus en plus loin.

On sait également que les Québécois francophones réussissent, comme en Floride, à transposer leur culture et à exprimer leur personnalité dans les diverses destinations qu'ils choisissent. Le résultat n'est pas toujours heureux, parce qu'il ne met pas toujours de l'avant les traits les plus nobles de notre culture. Je pense au terme «*tabarnacos*», utilisé au Mexique pour décrire les touristes québécois. On devine bien l'origine des premières syllabes, mais on sait moins que les dernières sont un jeu de mots, «*nacos*» désignant, selon le *Urban dictionnary,* des gens mal élevés ou peu éduqués. De la même façon, l'intégration des Québécois dans la région de Sosua et Cabarete, en République dominicaine, a été à ce point complète que nos Hell's Angels québécois y ont fondé un chapitre dominicain.

Heureusement, les Québécois ont autre chose à offrir aux pays où ils s'installent : leur chaleur, leur convivialité, leur capacité remarquable de créer des liens avec les populations locales, par exemple les rapports d'amitié qu'ils ont établis avec les Cubains.

Je suis d'ailleurs tombé, dans le cadre de cette recherche, sur un article de l'historien Godefroy Desrosiers-Lauzon, auteur d'un livre sur les *snowbirds* de Floride, qui demande, dans la revue *Histoire sociale* : «Que vont chercher les *snowbirds* en Floride, et quel cas font-ils de leur canadianité ou de leur québécitude[23] ?»

«Si les motivations des *snowbirds* sont en grande partie explicables par le climat, il y a beaucoup plus qu'un simple "pour ou contre l'hiver" dans les questions que nous pose le phénomène des *snowbirds*. Les *snowbirds* déploient leur appartenance nationale en Floride. Ils hissent leurs drapeaux, fréquentent des communautés regroupant leurs semblables, des clubs et commerces qui s'identifient comme "canadiens", "québécois" ou "francophones". Ce faisant, ils utilisent le vocabulaire symbolique national d'une façon active, créative. »

Une analyse qui va, à mon avis, dans le sens des thèses que je défends. Pour bien des Québécois, le Sud est le prolongement de leur territoire national, et le fait d'aller dans le Sud constitue une partie intégrante de leur identité. Ce qui ne fait que renforcer mon hypothèse, celle que notre culture s'éloigne de la nordicité.

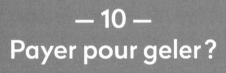

— 10 —
Payer pour geler?

Non seulement on a froid l'hiver, non seulement on doit composer avec de multiples inconvénients dans notre vie quotidienne, mais en plus, la saison froide engendre des coûts importants. Ça vaut la peine de s'arrêter un moment pour penser à ce que cela signifie. Non seulement on gèle, mais en plus, on doit payer pour avoir le privilège de geler!

L'hiver, ça coûte cher, très cher. Ça coûte cher aux familles, ça coûte cher aux municipalités et aux gouvernements pour entretenir le réseau routier, ça coûte plus cher qu'ailleurs pour construire des immeubles et des ponts.

On change donc de registre: nous passons des réflexions socioculturelles aux calculs économiques, quoiqu'il y a un lien entre les deux. Ces pressions financières, directes et indirectes, colorent certainement l'attitude des Québécois et contribuent à tiédir leurs ardeurs nordiques.

Il faut distinguer des catégories de coûts qui ne sont pas de même nature et qui n'ont pas les mêmes conséquences. Je parlerai d'abord, dans ce chapitre, des coûts individuels, ceux qui affectent le budget des familles. Dans le prochain chapitre, je regarderai les coûts collectifs – les infrastructures, les services publics –, moins visibles, mais qui ont un effet sur les emprunts publics et le fardeau fiscal. J'aborderai ensuite la question des coûts économiques, de l'impact du froid et de l'hiver sur la croissance, l'emploi, la richesse. Enfin, je parlerai des coûts sociaux, par exemple pour la santé ou le bien-être des personnes âgées.

Commençons par le commencement : les coûts individuels, ceux que les citoyens ou les familles doivent supporter. Je dis que ça coûte cher, mais combien plus cher ? Il est assez hasardeux de mettre un chiffre précis là-dessus. On en sait cependant suffisamment pour affirmer que nos conditions climatiques imposent des contraintes assez importantes pour grever le budget des familles, réduire leur marge de manœuvre et affecter leur niveau de vie.

C'est plus difficile d'évaluer ces coûts que je ne le croyais en entreprenant la rédaction de ce livre. D'abord parce qu'il n'y a pas de données spécifiques et que personne ne semble avoir fait de recherches sur le sujet. De plus, malgré l'apparente simplicité de la question, l'exercice se heurte à des problèmes conceptuels. Il ne s'agit pas seulement de faire une liste de dépenses et de les additionner ; il faut commencer par se demander ce qui constitue un coût dû à l'hiver.

Certaines dépenses liées à l'hiver procurent de la satisfaction et du plaisir. Par exemple, le fait d'acheter une luge pour aller glisser avec ses enfants ou encore d'offrir une belle écharpe en cadeau ne constitue pas vraiment un fardeau. Ce qu'il faut regarder, ce sont les dépenses qui ne résultent pas d'un choix, mais qui sont plutôt des obligations imposées par les conditions climatiques et qui ne procurent pas de satisfaction. Personne ne se réjouit du fait que sa facture de chauffage a grimpé parce qu'il faisait plus froid que d'habitude. Personne ne ressent un petit moment de joie parce qu'il a fait déneiger son toit ou qu'il a payé 75 $ pour entreposer ses pneus d'été. Ce sont, selon moi, les vrais coûts de l'hiver.

Il faut aussi se demander à quoi et à qui on se compare. Chaque région géographique et chaque région climatique a ses particularités qui engendrent des coûts. Ici, c'est le froid. Ailleurs, c'est la chaleur, les ouragans, les marées, l'humidité, les pluies incessantes... Au Québec, on pense au chauffage, mais en Floride, parce qu'il fait chaud, il faut dépenser beaucoup pour la climatisation. Au Québec, on a des frais de déneigement, mais on n'est pas obligés d'acheter du contreplaqué et du *duct tape* pour protéger sa maison contre les tempêtes tropicales. On ne souffre pas non plus de sécheresse comme en Californie, où il faut payer l'eau potable au prix fort.

Est-ce que ces dépenses hivernales ne font que refléter le fait que toutes les sociétés, peu importe leur climat et leur latitude, doivent s'adapter aux conditions climatiques qui sont les leurs ? Ou est-ce que le Québec, tout comme le reste du Canada, constitue vraiment un cas particulier, forcé de payer le gros prix parce qu'il n'est pas gâté par la nature, dans le sens littéral du terme ?

Il faut aussi tenir compte du fait qu'une des caractéristiques du climat québécois, qui a une incidence sur les coûts, c'est qu'on y retrouve des extrêmes, des hivers très froids et des étés très chauds, des –30 °C et des 30 °C, avec des demi-saisons courtes, mais bien réelles, qui imposent des contraintes uniques dans les loisirs, dans l'habillement, dans la construction.

UN SUJET NÉGLIGÉ

Contrairement à ce que l'on pourrait croire, ce sujet a été très peu exploré, ce qui est étonnant quand on sait la place que l'hiver occupe dans nos vies. Curieusement, dans notre pays de froid, à peu près personne ne s'est penché sur la question ni ne s'est demandé ce que coûtait l'hiver.

J'avais déjà écrit là-dessus en décembre 1985, ce qui montre que le sujet m'intéresse depuis longtemps. À l'époque, j'avais abordé la chose dans un topo pour une émission à laquelle je participais à Télé-Québec, *Questions d'argent*, animée par Lise Lebel et où je jouais, avec mon collègue Claude Picher, le rôle de coanimateur. J'avais ensuite repris ces données, dont le gros avait été colligé par les recherchistes de l'émission, dans une chronique de *La Presse*.

Avec des calculs quand même très sommaires, j'arrivais à la conclusion que ça coutait 3500 $ par famille, soit 10 % de ses revenus de l'époque, pour un total de 5 milliards pour l'ensemble du Québec : 1930 $ pour les vêtements pour quatre personnes ; 10 % du coût du logement, soit 7000 $ pour un bungalow moyen qui valait alors 70 000 $; 500 $ pour le chauffage ; 100 $ pour le matériel hivernal. J'ajoutais, je ne me souviens plus comment, 4 milliards pour les coûts collectifs.

Je suis revenu sur le sujet 30 ans plus tard, quand j'ai commencé à réfléchir à ce projet de livre. Je croyais naïvement qu'avec les puissants outils de recherche dont nous disposons maintenant – Google, les articles universitaires en ligne, les banques de données de Statistique Canada sur le Web – je pourrais aller beaucoup plus loin que les recherchistes de Télé-Québec qui travaillaient à la mitaine.

Qu'est ce que j'ai découvert, en 2014 ? À peu près rien. J'ai retrouvé ma vieille chronique reproduite sur quelques sites. J'ai trouvé un article de 2011 de Claude Picher, dans *La Presse*[24], qui reprenait les données de l'émission. J'ai trouvé un calcul d'Isabelle Paradis, du Mouvement Desjardins, dans un article de *Coop moi*[25]. Elle arrivait à 8000 $ par année pour une famille de quatre personnes : 1000 $ pour le chauffage, 1500 $ pour la voiture, 500 $ pour l'entretien de la maison, 5000 $ pour les vêtements.

Enfin, j'ai trouvé un article de janvier 2013 sur le site du canal Argent. « Le froid ne fait pas que causer de l'inconfort. Ses inconvénients entraînent une facture énorme pour les Québécois. Le total pourrait atteindre 10 milliards [de dollars] par année, selon une estimation faite par Argent, à partir de diverses données actualisées en tenant compte de l'inflation[26]. » La formulation avait une apparence savante, mais essentiellement, les fameuses « données actualisées » étaient celles que j'avais publiées 30 ans plus tôt, multipliées par le taux d'inflation...

C'est quand même étrange. Je me suis mis à faire des téléphones et à envoyer des courriels à des universitaires, à des organismes publics et à des entreprises. « Bonne question », m'a-t-on dit partout, mais personne n'avait la réponse. « On va y penser, regarder ce qu'on a. » C'est un sujet sur lequel personne ne semblait s'être penché. Et je trouve ça mystérieux, car il me semble que c'est une question pertinente, tout à fait intéressante, ne serait-ce que pour mieux comprendre le Québec.

Et maintenant, voici mes calculs. Ils restent approximatifs. Et dans tous les cas, j'ai choisi de pécher par excès de prudence pour ne pas gonfler inutilement les coûts. J'y vais par secteur : la maison, l'entretien de la maison, l'automobile, la vie quotidienne.

L'ACHAT DE LA MAISON

Le logement est le plus important poste de dépenses d'une famille. C'est aussi celui qui risque d'être le plus affecté par l'hiver. C'est ce que m'ont confirmé la grande majorité des spécialistes que j'ai consultés – architectes, ingénieurs, constructeurs, professeurs d'université.

Ils ont eu cependant plus de mal à répondre à mes questions plus précises. «Est-ce que les coûts de construction d'un logement au Québec sont plus élevés que dans une région plus tempérée, à cause des contraintes imposées par l'hiver? Si oui, quel est cet écart de coûts?» Si les spécialistes de l'industrie n'avaient pas de réponse, c'est que cela exige des recherches et des calculs assez compliqués qui n'ont pas d'utilité pratique dans le cours de leurs activités. Mais en gros, la plupart d'entre eux convenaient, sous le sceau de l'anonymat, que mon estimation de départ, un écart de 10 %, n'était sans doute pas loin de la marque.

Comme base de comparaison, j'ai choisi la Virginie. D'abord parce que c'est une région tempérée, au climat idéal, sans grands extrêmes, qui a quand même des saisons définies, y compris un hiver. Ensuite, parce que c'est en Amérique du Nord, avec un développement urbain et des techniques de construction similaires aux nôtres. Enfin, parce que je voulais éviter les grands centres qui peuvent introduire toutes sortes de distorsions dans les coûts.

N'étant pas un spécialiste de la construction, je croyais que les principales sources de coûts additionnels proviendraient de l'isolation et de la fenestration. Ce n'est pas le cas. Les normes d'isolation en Virginie, 20,5 R, sont même légèrement supérieures à celles du Québec, 20,4 R. Pas de différence significative pour les fenêtres, parce que l'emploi des fenêtres à doubles ou triples vitres est maintenant une pratique courante au nord et au sud. Pas de différence non plus pour les équipements de chauffage et de climatisation. Nos plinthes électriques ne sont pas différentes de celles que l'on utilise plus au sud, elles fonctionnent simplement plus longtemps.

La grande différence vient plutôt des fondations. Il faut creuser plus profondément pour que la semelle des fondations soit sous la ligne de gel. Cela exige 1,5 m à Montréal, 1,8 m à Québec et ça peut aller jusqu'à 3 m dans le nord du Québec. En Virginie, c'est 2 pi (61 cm pour les plus jeunes).

Les spécialistes de la Société des infrastructures du Québec, qui m'ont gentiment épaulé dans ma recherche en utilisant leur base de données, ont calculé l'impact que cela pouvait avoir sur la construction d'une résidence typique, une maison en briques de 2800 pi^2, en comparant la Virginie et la région de Québec, sachant que même si d'autres techniques de construction existent, le modèle dominant reste celui du bungalow avec demi-sous-sol.

Selon leurs calculs, l'excavation supplémentaire requise et l'imperméabilisation de ces murs de sous-sol ajoutent 4 % au coût d'une maison, tandis que la construction de ces murs de fondation à 6 pi de profondeur au lieu de 2 pi ajoute 5 %. Autrement dit, la seule question des fondations expliquerait un écart de coût de 9 % entre une maison construite à Québec et une maison similaire construite en Virginie. Et donc pas loin du 10 % qui était mon hypothèse de travail. L'écart serait toutefois un peu moins grand pour Montréal, où la profondeur d'excavation nécessaire est moindre.

Il y a aussi d'autres coûts, plus difficiles à mesurer, moins importants, mais qui pèsent dans la balance : les pare-vapeurs et la lutte à l'humidité dans un climat qui oscille de −35 °C à 35 °C, les techniques de construction pour éviter les ponts thermiques qui permettent au froid de pénétrer, les charges du toit, la protection contre le gel pour les entrées d'eau… Enfin, les coûts de construction sont plus élevés l'hiver à cause du gel des sols et du froid. Cela ralentit les travaux et introduit des éléments additionnels de complexité.

Il y a cependant une autre approche pour capter ces différences de coût de construction, avec les manuels d'évaluation des coûts en Amérique du Nord dont se servent les spécialistes, notamment ceux de RSMeans, une base de données commerciale qui fait autorité dans le domaine. Avec un indice où les coûts moyens se situent à 100, l'indice atteint 110 pour le Québec et 102 pour la Virginie. Un écart de 8 points de pourcentage entre les deux zones, qui s'ajoute aux coûts spécifiques des fondations. Cet écart de 8 % tient à une foule de facteurs – la fiscalité, le coût des matériaux, celui de la main-d'œuvre, les contraintes réglementaires ou syndicales. Il ne serait pas déraisonnable de croire qu'une partie de ce 8 % s'explique par l'effet de l'hiver sur les coûts de construction.

Voilà pourquoi je n'ai pas l'impression d'exagérer en ajoutant un point de pourcentage à l'écart de 9 % qui tient aux fondations. Je reviens à mon 10 % de départ en sachant que je suis confortablement dans la partie inférieure de la fourchette, et en n'oubliant pas que c'est une approximation dont le but est de donner un ordre de grandeur.

Qu'est-ce que cela représente dans un budget familial ? Ce coût additionnel se reflète dans le coût d'achat d'un logement, dans les paiements d'hypothèque ou dans les loyers. J'ai regardé ce que cela signifierait pour un emprunt hypothécaire qui représente 80 % du prix d'achat, amorti sur 20 ans, avec un taux d'intérêt de 3 %.

En arrondissant les données fournies par divers organismes spécialisés, l'Association canadienne de l'immeuble, Royal LePage et la Chambre d'immeuble du grand Montréal, une copropriété se vendait autour de 250 000 $ dans la région montréalaise en 2015, un bungalow, 300 000 $, avec d'importants écarts selon la sous-région et le type de résidence. Une maison en rangée valait 250 000 $ sur la Rive-Sud, mais 500 000 $ à Montréal.

J'ai donc produit le tableau 5 qui se lit de cette façon. D'abord, le prix de la propriété et le paiement hypothécaire mensuel que cela représente. Ensuite, le prix sans la prime de l'hiver et donc inférieur de 10 %, avec les paiements mensuels inférieurs qui en découleraient. Enfin, l'écart dans les paiements mensuels et ce que cela représente pour une année. Par exemple, une résidence que l'on paie 250 000 $ aurait coûté 225 000 $ dans un climat moins froid. On paie donc 1107 $ par mois en hypothèque plutôt que 996 $. Un écart mensuel de 111 $ qui mène à une facture additionnelle annuelle de 1332 $. Ce que montre le tableau, c'est que, selon le prix de la résidence, les coûts de construction engendrés par l'hiver imposent des dépenses annuelles additionnelles qui peuvent varier, en gros, de 1000 $ à 2500 $. Pour la maison moyenne, celle de 300 000 $, cela représente 1584 $. Mettons 1600 $.

Tableau 5 : Le coût de la maison. Combien de plus ?

Prix de la résidence au Québec	Paiements hypothécaires mensuels au Québec	Prix sans la prime de l'hiver	Paiements hypothécaires sans la prime de l'hiver	Écart mensuel	Écart annuel
200 000 $	886 $	180 000 $	797 $	89 $	1068 $
250 000 $	1107 $	225 000 $	996 $	111 $	1332 $
300 000 $	1328 $	270 000 $	1196 $	132 $	1584 $
350 000 $	1550 $	315 000 $	1395 $	154 $	1848 $
400 000 $	1773 $	360 000 $	1595 $	178 $	2124 $
500 000 $	2214 $	450 000 $	1992 $	222 $	2664 $

LE CHAUFFAGE ET L'ENTRETIEN DE LA MAISON

Dans les dépenses d'entretien de la maison, le chauffage est certainement le poste le plus important. On sait que chauffer, ça coûte cher, et que ce coût est directement lié à la température. Soixante-quinze pour cent de la note énergétique au Québec est consacrée au chauffage et à l'eau chaude. Le simple fait que nous ayons eu un hiver rigoureux en 2015 a fait grimper la facture de 11 %, soit 100 $ de plus en moyenne par famille, pour les froids de janvier et surtout de février, une espèce de prime à la nordicité.

Mais comment bien comparer le Québec à une autre région ? Encore une fois, j'ai choisi la Virginie. On sait qu'il fait moins froid là-bas, et donc que les coûts de chauffage sont nettement moins élevés, tandis que la période chaude est plus longue et plus intense et qu'elle exige donc beaucoup plus de climatisation. Le coût du climat, pour eux, est plutôt de ce côté.

Ce que j'ai cherché à faire, pour comparer des pommes avec des pommes, c'est de tenir compte de l'ensemble des coûts annuels pour gérer la température de la maison, le chauffage plus la climatisation, pour arriver au coût net attribuable à notre climat.

En Virginie, selon le plus récent sondage de la U. S. Energy Information Administration, la consommation moyenne d'électricité d'un ménage était de 14 400 kWh, ce qui donnerait, selon mes calculs, environ 18 000 kWh pour une maison qui se chauffe à l'électricité, dont 35 % pour le chauffage, 9 % pour la climatisation et 17 % pour l'eau chaude. Ce n'est pas tellement moins que la consommation moyenne de 19 403 kWh pour les clients d'Hydro-Québec en 2015. Par contre, et cela illustre la complexité des comparaisons, la grande majorité des Virginiens, 78,3 %, habitent dans des maisons individuelles, qui coûtent plus cher à chauffer. Au Québec, la majorité des gens, 66 %, habitent plutôt dans des logements multiples, appartements, maisons en rangée, duplex ou triplex, et cela explique la consommation moyenne relativement basse. Pour bien se comparer à la Virginie, il faudrait plutôt regarder la consommation moyenne au Québec d'une résidence unifamiliale. À Montréal, la consommation moyenne d'électricité est de 27 350 kWh pour une maison de 1900 pi^2, selon les données d'Hydro-Québec. Cet écart de consommation constitue, selon moi, le coût net de l'hiver, en supposant, ce qui ne m'apparaît pas déraisonnable, que les autres sources de consommation d'électricité (éclairage, électroménagers) soient similaires. La facture pour cette électricité s'élève, au Québec, à 2070 $. Si les besoins étaient aussi bas qu'en Virginie, la note serait plutôt de 1362 $. L'écart entre les deux factures, soit 708 $, constitue le coût de l'hiver. Arrondissons à 700 $.

Il faut ajouter que ces chiffres portent sur Montréal. La facture sera plus élevée pour les régions plus froides du Québec : 2225 $ pour Québec, 2470 $ au Saguenay et 2580 $ en Abitibi. Il faut aussi noter que les faibles coûts de l'électricité au Québec encouragent la surconsommation et grossissent ainsi les écarts.

Au chauffage s'ajoutent une foule de dépenses lorsque l'hiver arrive : l'achat d'équipement comme les pelles et les grattes, les matériaux isolants pour le calfeutrage, les frais de fermeture de la piscine et d'hivernation du jardin, les tapis et essuie-pieds, le sel ou le calcium, parfois le déneigement du toit, etc. Il y a évidemment des coûts plus au sud, par exemple pour le combat contre les termites, mais la liste québécoise me paraît particulièrement longue. J'y appose arbitrairement un prix de 500 $, ce qui ne me paraît pas exagéré.

L'AUTOMOBILE

Pour évaluer les coûts associés à l'utilisation d'une automobile, j'ai eu la bonne idée de faire appel à la CAA-Québec, une référence en la matière. Personne à la CAA n'avait jamais pensé à mesurer précisément les coûts de l'hiver, mais les représentants de l'organisme ont trouvé que c'était une excellente idée et se sont servis de leurs données et de leurs connaissances de l'industrie pour faire une évaluation très précise. Ces spécialistes ont identifié 22 éléments susceptibles d'engendrer des coûts hivernaux, avec des calculs fouillés.

Voici ce que ça donne, en tenant compte du fait que la CAA, comme le veut son mandat, a intégré dans ses calculs les normes élevées d'entretien qu'elle recommande à ses membres. Il faut aussi se souvenir que ce sont des moyennes. Le coût final dépendra du type de véhicule et des pratiques de chacun.

D'abord, des coûts que doivent absorber tous les automobilistes :

- la consommation supplémentaire d'essence, en raison du froid et de la marche au ralenti dans la période de préchauffage du moteur : 5 minutes par jour pour 150 jours d'hiver à un niveau de consommation de 1,8 l à l'heure : à 1,25 $ le litre, ça donne 28,13 $ par an, qu'on arrondit à 30 $;

- la nécessité d'avoir des pneus d'hiver : contrairement à ce qu'on pourrait penser, ça ne double pas les coûts, parce que l'utilisation de pneus d'hiver permet de prolonger la durée de vie des pneus d'été à six saisons, mais les pneus d'hiver s'usent plus vite, soit en trois ans. Au final, pour un ensemble de quatre pneus de 750 $, le coût additionnel sera de 125 $ par an ;

- la pose et le retrait des pneus : au moins 150 $ par année, ce à quoi il faut ajouter, dans bien des cas, l'achat de jantes pour les pneus d'hiver, dont le coût varie de 250 $ à 500 $, un minimum de 50 $ pour une possession de 5 ans : 200 $ au total ;

- la mise au point automnale : environ 70 $;

- les accessoires (essuie-glace, pelle, balai, lubrifiant, grattoir, etc.) : environ 100 $;

- l'achat de lave-glace, huit contenants par saison : 24 $;

- l'entretien des freins en raison des conditions plus difficiles : 90 $;

- le ralentissement de la circulation en raison des conditions routières difficiles ou des routes enneigées : la CAA estime que cela augmente la consommation d'essence de 20 % pour les 60 jours où il y a des chutes de neige mesurables ; pour une circulation moyenne de 44,9 km par jour et pour une consommation d'essence moyenne de 10 l/100 km, cela donne 54 l de plus : à 1,25 $ le litre, ça donne 67,50 $;

- l'entreposage des pneus : 40 $ par saison, soit 80 $;

- le traitement antirouille : 90 $;

- les lavages d'auto supplémentaires (pour ceux, bien sûr, qui sont les tenants d'une bonne hygiène automobile !) : environ 60 $;

- la périodicité d'entretien raccourcie, par exemple pour la vidange d'huile : 60 $;

- la remise à niveau du véhicule au printemps : 200 $, 240 $ avec le polissage des phares ;

- le déneigement de l'entrée : de 300 $ à 600 $ par saison, prenons 300 $.

Il y a ensuite des coûts qui ne s'adressent qu'à une partie des propriétaires de véhicules et que je n'intègre pas dans mon calcul, comme la perte d'autonomie des véhicules électriques l'hiver, le coût des abris temporaires (dont les prix sont variables, mais qui coûtent environ 80 $ par an sur la durée de vie de l'abri), les démarreurs à distance (350 $, soit 70 $ par année), l'achat et l'usage d'un chauffe-moteur, ce que recommande la CAA (40 $ par année).

Il y a enfin des coûts réels, mais pas vraiment mesurables. D'abord, les coûts des réparations – bris de suspension ou crevaisons – causées par le gel, le dégel et les nids-de-poule. Ensuite, les pannes dues au froid qui ont entre autres un effet notable sur les appels à la CAA. Enfin, les coûts d'un nombre plus grand d'accidents. D'octobre à mars, on observe une hausse de 25 % des collisions, soit de 15 000 à 20 000 incidents de plus que pendant le reste de l'année, selon les chiffres de la Société de l'assurance automobile du Québec. À 4000 $ la collision, cela représente 80 millions de dollars.

En tout, en arrondissant, un automobiliste québécois doit débourser 1500 $ de plus chaque année à cause des conditions hivernales, une somme qu'il n'aurait pas à payer s'il vivait dans une zone plus tempérée, disons à 600 km plus au sud. Le montant peut évidemment varier. Il pourra être également plus bas pour ceux et celles qui adopteront des mesures de prévention hivernale.

LA VIE QUOTIDIENNE

Il n'y a pas que la maison, le chauffage ou l'automobile. La vie quotidienne est elle aussi affectée par les cycles climatiques, parce qu'il faut s'habiller pour l'hiver et que les légumes ne poussent pas au mois de janvier.

Mais même s'il s'agit de catégories de dépenses de tous les jours, que l'on connaît bien et qui sont faciles à identifier, ce sont celles pour lesquelles il est le plus difficile de déterminer l'impact de la nordicité. On a du mal à départager, dans les habitudes de consommation, ce qui peut être attribuable aux conditions hivernales de ce qui peut être dû à d'autres facteurs.

On peut, par exemple, dire intuitivement qu'il en coûte plus cher au Québec pour se nourrir l'hiver. Mais comment ça se mesure ? On peut comparer le coût de l'épicerie au Québec à celui de régions plus clémentes. Selon l'Enquête sur les dépenses des ménages de Statistique Canada, les Québécois dépensent 6013 $ par année chez les détaillants d'alimentation, soit plus que les 5687 $ dépensés en Colombie-Britannique, la province où le climat est le plus doux. Comme notre revenu est plus bas, la part du budget consacrée à ce poste est plus importante, 8,75 % ici contre 7,25 % là-bas. Mais à quoi est-ce dû ? Aux économies réalisées en Colombie-Britannique en raison de sa saison agricole plus longue ? Aux habitudes alimentaires des Québécois qui vont plus à l'épicerie et qui se nourrissent moins au restaurant ? En effet, 29,6 % des dépenses en alimentation en Colombie-Britannique se font au restaurant, contre 24,7 % au Québec. Aux goûts alimentaires plus raffinés des Québécois, par exemple pour les fromages fins, qui gonflent la facture d'épicerie ? Au prix plus élevé des produits alimentaires au Québec pour des raisons autres que le climat – l'éloignement de marchés comme celui de la Californie, la compétition moindre dans l'alimentation, les effets indirects des politiques agricoles sur les prix ? C'est impossible à départager.

Tout ce qu'on peut conclure avec une certaine certitude, c'est qu'il est assez évident que notre hiver a un impact sur le budget alimentaire parce qu'il met fin à la production locale de fruits et de légumes frais. En effet, le cycle des saisons affecte peu les autres produits, que ce soit le lait, le pain, les pâtes, le riz ou les conserves. Dans certains cas, les prix baissent même l'hiver, comme pour certaines coupes de viande, dont les coûts grimpent l'été à cause de la demande pour les barbecues.

Mais les fruits et légumes frais, sensibles aux cycles saisonniers, ne comptent que pour 15,4 % des achats d'aliments en magasin au Québec, soit un total annuel de 924 $ en moyenne par ménage, ou 77 $ par mois. Même si les prix varient selon la saison, ça ne fera pas un gros montant. D'autant plus qu'une bonne partie des fruits et légumes consommés l'été ne proviennent pas d'ici de toute façon, qu'il y a aussi des bas prix l'hiver en fonction des saisons de récolte des pays de production, que les prix d'un grand nombre de produits locaux varient peu – choux, carottes, pommes de terre, pommes –, qu'on ne consomme pas les mêmes produits l'hiver et l'été et que les consommateurs développent des stratégies d'évitement, par exemple ne pas acheter de brocoli quand son prix explose. L'impact ne peut donc qu'être assez limité.

On peut avoir une idée de ce que cela représente en regardant l'évolution de l'indice des prix à la consommation pour les aliments. Il est, en gros, de trois points de pourcentage plus élevé en décembre qu'en septembre : 3 % de 501 $, les achats mensuels en épicerie, ça donne 15 $ par mois d'hiver. Un total de 60 $ ou 75 $. Ce n'est pas grand-chose.

La même difficulté s'applique à l'autre grand poste de dépenses : les vêtements. Il est évident qu'il faut dépenser pas mal d'argent pour s'habiller l'hiver – manteaux, bottes, claques, foulards, chapeaux, gants... Mais le coût de l'hiver que j'essaie d'estimer, ce ne sont pas les dépenses hivernales telles quelles, mais la différence entre les dépenses que nous devons faire ici et celles qu'il faudrait faire dans un pays plus tempéré. Oui, il faut un manteau d'hiver au Québec, mais il en faut un aussi à Chicago, à New York ou à Richmond, en Virginie. Et ce n'est pas parce qu'il fait moins froid que les vêtements d'hiver coûteront vraiment moins cher.

Il y a toutefois clairement des coûts additionnels ici – les gants, les bottes, les chapeaux, les vêtements de scaphandrier des enfants, avec pantalons de neige. Mais aussi le fait qu'on doit être équipés pour trois saisons. Au Québec, il faut des vêtements d'hiver, des vêtements de demi-saison – imperméables, coupe-vents, etc. – et des vêtements presque tropicaux pour l'été. Il faut des complets d'hiver, et d'autres pour l'été.

J'ai essayé d'évaluer ce coût additionnel en utilisant, comme pour les aliments, les statistiques officielles. Ça ne m'a pas mené très loin. Par exemple, selon le Department of Labour Statistics des États-Unis, les dépenses de vêtements des ménages américains représentaient 1674 $ en 2014, sur un budget de 51 933 $, soit 3,22 % du total. Au Québec, toujours selon l'Enquête sur la consommation des ménages, ces dépenses sont de 3118 $, sur un budget de 68 683 $, soit 4,54 % du total. La part du budget consacrée aux vêtements est plus élevée ici. Si on se comportait comme les Américains, on dépenserait 900 $ de moins. Mais outre le fait qu'il y a certainement des différences méthodologiques entre les enquêtes, comment interpréter cet écart ? Est-ce la prime de l'hiver, les habitudes de vie et le penchant plus marqué des Québécois pour la mode, ou encore le prix plus élevé des vêtements au Québec ?

Une autre piste, plus intéressante, c'est de regarder les conseils que les organismes d'accueil prodiguent aux étrangers qui arrivent ici. Les HEC, dans leurs dépliants pour aider les étudiants venus d'ailleurs, estiment que les vêtements d'hiver coûtent 800 $. L'Université de Montréal parle plutôt de 600 $. Mais ce sont des dépenses pour des adultes qui partent de zéro. Cela ne permet pas de dire que le coût des vêtements d'hiver pour une famille de quatre personnes serait quelque part entre 2400 $ et 3200 $, d'autant plus que les dépenses totales des ménages pour les vêtements sont de 3118 $ annuellement. Ce qui m'amène à conclure, au pif, mais avec prudence, que les dépenses de vêtements imposées par nos conditions climatiques peuvent représenter de 1000 $ à 2000 $ par année.

Un autre poste affecté par l'hiver, ce sont les loisirs. Les Québécois, surtout lorsqu'ils ont des enfants, doivent s'équiper à la fois pour l'hiver et pour l'été. Des skis, les luges et des patins, mais aussi des vélos, des planches, des maillots de bain. Y a-t-il un coût à cela ? Pas vraiment. Le coût additionnel n'est pas celui des étés et des demi-saisons, mais celui des équipements hivernaux, qui nous distinguent par exemple de la Virginie. Mais n'oublions pas que le patin se fait en aréna partout, qu'il y a plein de gens qui skient en Amérique du Nord sans geler tout l'hiver, que les achats d'équipement sportif sont un choix personnel plutôt qu'une obligation et qu'ils procurent du plaisir. J'ai du mal à y voir un fardeau.

LE GRAND TOTAL

Voilà. Tout cela m'amène au grand total suivant :

Maison	1600 $
Chauffage	700 $
Entretien de la maison	500 $
Auto	1550 $
Alimentation	100 $
Vêtements	1500 $
TOTAL	5950 $

Au terme de cet exercice un peu fastidieux, j'en arrive à des résultats plus modestes que ceux qui reposaient sur des calculs sommaires, parce que j'ai fait des hypothèses prudentes et que j'ai tenté de ne tenir compte que des coûts nets du fardeau additionnel que nous impose l'hiver. Le coût de l'hiver représenterait, selon mes estimations, 5950 $, ce qui équivaut quand même à 8,6 % du budget familial. Ce calcul a été fait pour une famille moyenne, et il doit malgré tout n'être vu que comme un ordre de grandeur.

Pour les 2,203 millions de familles au Québec, avec ou sans enfants, cela représente une dépense totale de 13,1 milliards par année. C'est quand même pas mal d'argent. Une espèce de tribut à l'hiver.

Treize milliards, ce serait assez pour augmenter les dépenses en santé de 38 % ou celles en éducation de 66 %. Si on n'avait pas cette obligation de se protéger contre l'hiver, c'est de l'argent que l'on pourrait utiliser autrement, pour épargner, pour consommer d'une façon qui contribue davantage à la qualité de vie ou pour dégager davantage de ressources collectives.

— 11 —
Si le pont Champlain avait été construit plus au sud...

Il y a quelques années, on a découvert que le pont Champlain était en train de tomber en morceaux. Il se fissurait tellement que le gouvernement fédéral, qui en est le propriétaire, s'est rendu à l'avis des spécialistes lui recommandant de le démolir et de construire un nouveau pont tout à côté. Ce nouveau pont, promis pour 2019, coûtera 4,2 milliards de dollars, selon les prévisions d'Ottawa. À cela, il faut ajouter la somme substantielle de 390 millions pour faire tenir le pont Champlain pendant les quatre ans que ça prendra pour le remplacer.

La détérioration de cet ouvrage d'art a quelque chose d'étonnant parce qu'il est relativement jeune. Il date de 1962. Comment se fait-il que ses vénérables voisins, le pont Victoria, construit en 1860, le pont Jacques-Cartier et le pont Mercier, tous deux inaugurés dans les années 1930, tiennent toujours debout? L'explication est simple. En 1960, lors de sa conception et de sa construction, on a choisi une technologie nouvelle, et plus économique, celle du béton précontraint. On connaissait mal ce matériau et on a découvert, trop tard, qu'un pont en béton, sans d'indispensables précautions, souffrait énormément des infiltrations des sels de déglaçage que l'on commençait à utiliser massivement. Cette catastrophe s'explique en partie par une erreur de conception, due à l'ignorance et sans doute aussi à l'imprudence, ainsi qu'à des facteurs imprévisibles comme l'augmentation exponentielle du trafic routier. Mais la cause première de la mort du pont Champlain, c'est le froid, la neige, les cycles de gel et de dégel. Le dispendieux remplacement de cette infrastructure constitue très clairement un coût de l'hiver. S'il avait été construit de la même façon, mais 500 km plus au sud, il aurait encore des décennies, sinon des siècles, de vie utile.

La même chose est survenue avec un autre ouvrage majeur, l'échangeur Turcot à Montréal, un horrible spaghetti de béton qui, en plus d'être l'expression du développement urbain sauvage, est un symbole de la déliquescence des grands travaux d'infrastructure des années 1960. Lui aussi est en train de s'effondrer sous l'assaut des véhicules et du sel de déglaçage, ce qui force le Québec à le reconstruire 50 ans après son inauguration en 1966. Une autre dépense de 3,7 milliards que l'on aurait pu éviter si le Québec était à quelques degrés de latitude plus au sud.

Dans les débats sur la corruption et la collusion qui ont agité le Québec, on a eu tendance à voir le pont Champlain et l'échangeur Turcot comme des exemples de l'incompétence de l'industrie de la construction et de la vénalité politique. Mais ce sont d'abord et avant tout des exemples, sans doute les plus spectaculaires, des coûts et des contraintes que nos conditions climatiques engendrent. Dans le chapitre précédent, on a passé en revue les dépenses additionnelles que l'hiver imposait aux individus. Dans ce chapitre, nous regarderons plutôt celles que le climat impose aux gouvernements, aux municipalités, aux entreprises pour les routes, les écoles, les aéroports, les équipements publics, les commerces...

Ce fardeau collectif de l'hiver est certainement plus lourd à porter que la somme des fardeaux individuels. La facture est cependant moins visible, parce que nous n'avons pas à la payer directement. Ce sont les gouvernements, les organismes publics et les entreprises qui passent à la caisse. Mais il est évident qu'on la supporte de façon indirecte par nos impôts, par les frais d'intérêt sur la dette des gouvernements, par les tarifs pour les services publics, par les prix réclamés par les entreprises.

J'aurais aimé pouvoir proposer un inventaire exhaustif de ces coûts collectifs et être capable de les chiffrer avec une certaine précision. J'en suis, hélas!, incapable. D'une part parce qu'il n'y a pas de données sur la question, d'autre part parce qu'il y a tellement de possibilités, de ramifications, qu'on n'arrive pas à faire le tour.

Certaines dépenses hivernales sont facilement identifiables, comme le déneigement des routes ou les aventures du pont Champlain et de l'échangeur Turcot. Mais jusqu'à quel point la conception et la construction des infrastructures, comme les aqueducs, les égouts, les trains de banlieue, les gares et les aéroports, sont-elles affectées? Il y a également plein de choses auxquelles on ne pense pas: des petites, par exemple les gicleurs à incendie dans un stationnement étagé qui ne peuvent pas être alimentés à l'eau à cause du gel, ou encore des grandes, par exemple les emprises de nos autoroutes qui doivent être beaucoup plus larges qu'en Europe à cause du déneigement.

Il y a trop de cas particuliers, trop de considérations techniques pour réussir à tracer un portrait complet. Je propose plutôt un survol pour donner une idée de l'ampleur de ces coûts collectifs, mais quand même assez précis pour montrer qu'ils constituent, et de loin, les principaux coûts de l'hiver québécois.

LE DÉNEIGEMENT

On peut commencer par le coût collectif de l'hiver le plus évident, le plus facile à calculer et le plus facile à définir conceptuellement : le déneigement des rues et des routes. La dépense est incontournable, presque incompressible, clairement attribuable à nos conditions climatiques. Là où il fait plus chaud et où il ne neige pas, cette dépense n'existe tout simplement pas.

On sait précisément combien ça coûte. Mon collègue de *La Presse* Pierre-André Normandin a fait l'exercice, pour l'année 2013 : plus d'un milliard pour une seule année[27]. Le ministère des Affaires municipales et de l'Occupation du territoire estimait que les municipalités avaient dépensé 786 millions en déneigement pour les 133 000 km de routes dont elles sont responsables. Le ministère des Transports (MTQ), de son côté, pour les 31 000 km de routes sous sa juridiction – routes nationales, autoroutes – chiffrait ses déboursés à 260 millions. Un total de 1,046 milliard par année, soit 130 $ par personne, 520 $ pour une famille de quatre.

Le coût élevé du déneigement s'explique évidemment par la quantité de neige qui tombe, mais aussi par un facteur socioculturel, soit notre façon de composer avec la neige depuis que nous avons développé une culture de l'automobile. Le nombre de véhicules est en hausse constante – de 3,6 millions en 1987 à 6,0 millions en 2011 – un bond de 64 % même si la population n'a augmenté que de 18 % sur cette période. À cela s'ajoute le fait que l'industrie et le commerce comptent de plus en plus sur le transport routier. Non seulement cela donne plus de véhicules sur les routes, mais cela crée aussi des attentes à l'égard du réseau routier. Nous voulons des routes propres et sèches, déneigées le plus rapidement et le plus complètement possible pour que nos déplacements ne soient pas perturbés. Il faut voir les réactions à Montréal ou à Québec quand les opérations déneigement ne sont pas aussi rapides qu'on le voudrait. Ce sont là les pressions d'une société qui ne veut plus être ralentie par l'hiver, qui ne veut pas en subir les désagréments.

Ces exigences, on les voit à la pratique montréalaise qui consiste à évacuer la neige en camions dans des dépôts au lieu de la souffler sur les parterres lorsque cela est possible, comme ça se fait à Québec. C'est vraiment plus joli, mais ça coûte très cher. À Montréal, le coût prévu pour le déneigement en 2016 est de 155,7 millions, une facture qui dépend toutefois des caprices de la météo, de la quantité de neige, de sa texture et du moment où elle tombe. La répartition de cette facture peut toutefois étonner. En gros, à Montréal, on calcule qu'il faut 17 millions pour déblayer 20 cm de neige. Le déblaiement lui-même, le dégagement des rues, ne représente qu'un million. La grosse dépense, c'est le chargement, 14 millions. L'élimination coûte un autre 2 millions. Le choix de Montréal de faire disparaître la neige exige donc un effort colossal. Pour déplacer ces 12 millions de mètres cubes de neige, il faut 300 000 voyages de camion par année. Sans compter l'épandage. À Montréal, chaque année, on répand 100 000 tonnes d'abrasifs et de fondants.

Bref, une partie du coût du déneigement ne provient pas des problèmes créés par la neige, mais de la conception que nous nous faisons de l'hiver, de notre désir de débarrasser nos villes des bancs de neige, de vouloir des trottoirs au béton et des rues à l'asphalte à un degré qui dépasse les exigences de la sécurité.

LES NIDS-DE-POULE

Le coût de l'hiver ne se fait pas sentir que l'hiver. Il engendre un autre rituel saisonnier, celui-là printanier : la chasse aux nids-de-poule ! Ces trous dans la chaussée sont provoqués par les changements brusques de température et l'alternance du gel et du dégel. L'eau provenant de la fonte de la neige et de la glace de surface peut s'infiltrer sous la chaussée et provoquer la formation de trous quand elle regèle. Cela peut survenir pendant les redoux de l'hiver, mais en général, c'est le printemps qui est la saison des nids-de-poule. À Montréal, on en a bouché plus de 50 000 en 2015, un cru particulièrement réussi d'un trou tous les 14 m en moyenne. On en comptait 12 000 à Québec pour la même période[28].

Les nids-de-poule se remarquent, ils sont la bête noire des conducteurs, une cause de crevaison et de bris de suspension. On en parle donc beaucoup, on fait grand état des opérations de colmatage des municipalités. Mais si elle est visible, la réparation des nids-de-poule, relativement simple – on met du bitume sec à la pelle dans le trou et on tasse un peu – ne représente pas une dépense majeure. Par exemple, à Montréal, on ne prévoit que 4,2 millions en 2016 pour les opérations bouche-trous. À Québec, environ 2 millions.

Il faut plutôt voir les nids-de-poule comme un symptôme mineur, quoique spectaculaire, d'un phénomène qui, lui, est majeur : l'impact des conditions hivernales sur la condition des routes. Et ça, ce n'est pas une légende. On a tendance à croire, en regardant les routes en bon état de nos voisins, comme le Maine, le Vermont, New York ou l'Ontario, que les fissures, les trous et les ornières de nos routes s'expliquent par l'incurie passée et de la moralité douteuse de nos administrations publiques, de nos ingénieurs et de nos entrepreneurs. Ce n'est pas tout à fait ça.

L'HIVER, DUR POUR LES ROUTES

Un hiver comme le nôtre, ou comme celui de nos voisins, avec ses grands froids, ses intempéries, ses cycles de gels et de dégels, a un impact désastreux sur une chaussée. C'est un environnement où les routes se détériorent plus vite, qui exige des techniques de construction différentes, mais surtout beaucoup plus d'entretien. Le problème du Québec, c'est moins la piètre qualité de la construction initiale de ses routes que l'insuffisance de leur entretien pendant des décennies.

Comment l'hiver abîme-t-il les routes ? D'abord, le gel affecte ce qu'on appelle couramment l'asphalte, mais que le ministère des Transports et l'industrie appellent l'enrobé, un mélange de bitume, un hydrocarbure visqueux, presque solide, et de granulat, du gravier et du sable. Le bitume n'est pas indifférent au froid. Lorsqu'il gèle, il durcit, se contracte et peut se fissurer.

Ensuite, sous la route, l'eau de la nappe phréatique, qui est plus en profondeur que la ligne de gel, peut être pompée vers la zone de gel et geler à son tour, en formant des lentilles de glace qui soulèvent la chaussée, créent des creux, des bosses et des fissures.

Enfin, dans les périodes de dégel, surtout au printemps, s'il y a des fissures, l'eau s'infiltre et peut regeler, affaiblir la structure et mener à la création de trous, les nids-de-poule. Mais plus encore, l'eau de la fonte de la neige se retrouvera en quantité importante dans la couche de gravier et de sable sous la surface de la route sans pouvoir s'écouler parce que c'est encore gelé en dessous. Cela affaiblit énormément la structure, assez pour réduire la résistance de la chaussée de 30 % à 70 %, donc assez pour que les véhicules lourds puissent créer des ornières. C'est dans cette période que les camions doivent réduire leur charge.

Et le cycle recommence chaque hiver. Le froid affaiblit la chaussée. L'hiver suivant, l'eau peut encore plus s'infiltrer, et la chaussée se détériorera encore plus, et ainsi de suite dans une espèce de cercle vicieux, à moins que l'on entretienne correctement les routes, notamment en refaisant la surface pour réparer les fissures qui permettent la pénétration de l'eau. C'est ce que le Québec ne fait pas assez. Si les routes étaient mieux entretenues, il y aurait moins de nids-de-poule et moins de dommages dont la réparation est coûteuse.

Mais que l'on entretienne bien les routes ou non, il y a une réalité incontournable. La construction d'une route et son entretien coûtent vraiment plus cher dans une zone nordique comme la nôtre, et la détérioration sera plus rapide et plus prononcée.

Selon le MTQ, il y a une longue liste de choses que l'on doit faire au Québec et dans les régions voisines à cause des contraintes hivernales et des énormes écarts de température auxquels nous sommes soumis : des bitumes adaptés au climat, moins cassants sous le gel, mais capables de rester rigides l'été, des fossés de drainage le long des routes ou le rehaussement des chaussées pour réduire le risque de montée de la nappe phréatique dans la chaussée, parfois des dispositifs spéciaux de drainage, une épaisseur plus grande des couches de sable et de gravier pour protéger du gel, dans certains cas des excavations plus profondes pour enlever les matériaux dits gélifs, qui peuvent se fendre ou s'effriter sous l'effet du gel, parfois même de l'isolation. Tout ça augmente la note de la construction ou de la reconstruction d'une route, sa durée de vie et les frais d'entretien.

Bref, nos routes coûtent plus cher, ou du moins devraient coûter plus cher. Car il n'est pas évident qu'au Québec, on ait toujours mis en place tous les dispositifs que notre climat exige, même si cela permet des économies substantielles. Comme le dit le MTQ, «ces moyens ne sont donc utilisés que si le gain financier attribuable au prolongement de la durée de vie de la chaussée est avantageux par rapport à l'investissement initial». Donc, dans bien des cas, on ne le fera pas, avec le résultat que l'on sait, des routes de qualité haïtienne.

Mais si les documents du ministère des Transports montrent que la pression sur les coûts est considérable, j'ai été incapable, malgré tous mes efforts, de faire valider un chiffre. Parce que si le Québec a comparé ses coûts avec ceux d'administrations où les conditions climatiques sont comparables, comme nos voisins immédiats du Canada et des États-Unis, ça n'est jamais venu à l'esprit de quiconque de comparer le Québec à des régions qui ne connaissent pas les mêmes contraintes, un exercice qui ne revêtirait aucune utilité pratique.

Mais il y a eu un autre obstacle à ma quête de données, davantage de nature culturelle. Mes questions reflètent la façon de penser d'un économiste, et mes interlocuteurs et interlocutrices étaient invariablement des ingénieurs, moins portés vers les réflexions spéculatives et moins à l'aise avec le postulat qui sous-tendait ma démarche. Je leur demandais: «Si on fait abstraction des autres facteurs, quel est le coût additionnel que l'on peut attribuer aux conditions hivernales?» C'est le *ceteris paribus*, «toutes choses étant égales par ailleurs », typique de la démarche des économistes. Les ingénieurs à qui j'ai parlé ne pensent pas comme ça, ne semblaient pas aimer l'idée d'isoler artificiellement un seul facteur et leurs réponses consistaient à me dire que pour évaluer le coût d'une route, il faut prendre en compte un ensemble de facteurs – les conditions hydrauliques, la géologie du sol, la disponibilité des matériaux, le trafic ainsi que les particularités de notre géographie et de notre démographie. Les ingénieurs n'aiment pas non plus les chiffres approximatifs, les estimations indirectes, fréquentes dans le monde de l'économie et encore plus dans celui du journalisme.

Mais ce qui est clair, c'est qu'au Québec, à cause de l'hiver, il faut creuser plus profondément quand on construit une route, il faut mettre plus de gravier et de sable, il faut drainer davantage, il faut des bitumes spéciaux, et il faut prévoir que le gel, le dégel et l'eau abîmeront les routes plus rapidement. En plus, comme me l'on dit plusieurs de mes interlocuteurs, les conditions climatiques québécoises sont telles, avec les excès hivernaux et la chaleur de l'été, qu'aucun procédé ni aucune innovation développés à l'étranger ne peuvent être importés sans que l'on en recommence la recherche pour savoir s'ils pourront fonctionner ici.

Je n'ai donc pas pu chiffrer précisément le coût engendré par les conditions hivernales, mais on peut donner un ordre de grandeur. Les investissements pour le réseau routier prévus par le gouvernement du Québec pour la période 2015-2017 s'élèvent à 4,9 milliards de dollars, soit 2,45 milliards par année. C'est un peu moins que pendant la période faste de 2009 à 2013, où les investissements annuels étaient en moyenne de 3,9 milliards, parce que les besoins étaient réels, mais aussi parce que le gouvernement accélérait les investissements routiers pour stimuler la relance économique. À ces dépenses s'ajoutent celles des municipalités, environ 3 milliards. Les dépenses combinées de Québec et des municipalités dépassent donc, pour une année, la marque des 5 milliards de dollars.

Si les contraintes additionnelles et le cycle de détérioration plus rapide équivalaient à 5 % des coûts, cela représenterait 250 millions par année, et si cela comptait pour 10 % de la facture, on parlerait d'une facture annuelle d'un demi-milliard.

Il faut ensuite tenir compte du fait que nous sommes très peu nombreux sur un très grand territoire. La faible densité de la population fait en sorte que les coûts que chacun de nous supporte sont plus élevés qu'ailleurs. Selon des données du MTQ, le réseau routier géré par l'État québécois est de 30 600 km, pour une population de 8 millions de personnes, contre 24 100 km dans l'État de New York pour 19,5 millions d'habitants, et de 20 000 km en France pour 60 millions de personnes. Deux cent soixante personnes pour chaque kilomètre de route au Québec, contre 800 à New York, trois fois plus, et 3000 en France, 11 fois plus. Le poids financier par personne est donc plus lourd.

LES ÉDIFICES PUBLICS

L'impact de l'hiver sur les immeubles publics ou les édifices commerciaux est moins spectaculaire. On a vu, dans le chapitre précédent, avec les calculs de la Société des infrastructures du Québec (SIQ), que les conditions hivernales augmentaient le coût de construction d'une résidence de 9 % ou même plus, essentiellement à cause de la profondeur des fondations et des coûts d'isolation des sous-sols.

La SIQ a appliqué la même méthode de calcul aux immeubles publics, aux écoles, aux immeubles de bureaux et aux hôpitaux. Les impacts sont beaucoup plus modestes, d'une part parce que les fondations de ce genre d'immeubles publics sont souvent déjà assez profondes, même dans les régions où le gel n'est pas un problème, mais aussi parce que les fondations représentent une plus faible proportion du coût de construction total dans le cas d'un immeuble à plusieurs étages.

Pour un immeuble de bureaux, le coût de construction au Québec serait supérieur de 2,4 % à ce qu'il serait en Virginie, en raison des frais additionnels pour l'excavation, les fondations, les murs de sous-sol, la construction du plancher et de la toiture. L'écart serait de 2,5 % pour une école. Il ne serait que de 1,2 % dans le cas d'un hôpital, parce que les coûts de construction de ce genre de bâtiment sont tellement élevés que la prime au froid devient marginale.

L'autre façon de mesurer les différences de coûts, ce sont les indices des coûts de construction dans les manuels d'évaluation comme le RSMeans. Selon ces données, les écarts de coûts entre le Québec et la Virginie sont de 14,1 % pour les hôpitaux et de 15,2 % pour les écoles et les immeubles de bureaux. Cet écart s'explique par de multiples raisons, mais l'une d'elles est certainement le facteur climatique, ce qui nous permet de croire que le coût additionnel réel dépasse les 2,4 % pour les immeubles de bureaux ou les 2,5 % pour une école. Selon les situations, il est possible qu'au Québec, on doive prévoir des systèmes de chauffage plus performants, des espaces plus importants entre les planchers, des précautions additionnelles pour les pare-vapeurs pour éviter la condensation, des frais pour l'adaptation des stationnements au gel ou pour les zones d'accueil pour faciliter le déneigement et la circulation des personnes.

L'importance de la prime au froid est sans doute moindre que pour les routes, mais elle s'applique à des dépenses plus importantes. Les investissements pour la construction non résidentielle – usines, bureaux, édifices publics, centres d'achat – s'élevaient à 25 milliards de dollars en 2014, 8,9 milliards provenant du secteur privé et 16,1 milliards du secteur public. Si on applique à ce montant la prime très conservatrice de 2,5 %, on a une dépense additionnelle de 625 millions. Avec une prime plus élevée, je propose, au pif, 5 %, ce qui me semble réaliste et raisonnable, on arriverait à 1,250 milliard[29].

Mais il n'y a pas que les coûts de construction. Comme pour les maisons, il y a le chauffage et la climatisation des édifices publics et commerciaux, les problèmes d'entretien liés à l'hiver, comme le déneigement, les vestiaires, le lavage des planchers, etc.

À cela s'ajoute une autre grande contrainte, qui s'applique aux routes, aux immeubles et aux infrastructures gouvernementaux et municipaux, et c'est que les travaux réalisés l'hiver sont nettement plus coûteux. Il faut des bétons spéciaux, il faut protéger les chantiers du froid, les fermer, il faut tenir compte des questions de santé et sécurité pour que les travailleurs puissent se réchauffer, il faut composer avec des coûts d'excavation plus élevés, la durée du jour plus courte et une inévitable perte de productivité. Pour toutes ces raisons, les autorités tenteront d'éviter de se lancer dans des travaux de construction pendant l'hiver. En gros, selon des données de l'industrie, ces contraintes additionnelles augmentent les coûts de 10 %, une prime qui peut atteindre 20 %.

Mais en reportant les travaux, on n'échappe pas complètement aux pressions exercées par les contraintes hivernales. Cela aura un impact indirect sur les coûts, car si on concentre les travaux sur une période de huit mois, on impose une pression sur les ressources disponibles – travailleurs, équipement, matériaux – et on augmente ainsi la structure de coûts.

LES INFRASTRUCTURES MUNICIPALES

La liste ne s'arrête pas là. Le domaine municipal est très affecté par l'hiver, et pas seulement pour l'entretien des rues et des trottoirs. Le plus bel exemple, c'est le transport en commun. Je parlerai un peu plus en détail de la Société des transports de Montréal (STM), pas pour mettre un chiffre sur les coûts de l'hiver, mais pour montrer à quel point les conditions hivernales introduisent des éléments de complexité et soulèvent une foule de problèmes auxquels on n'aurait pas pensé.

Commençons par le métro. Il y a une évidence. Comme les tunnels du métro sont creusés assez profondément, ils sont à l'abri des conditions climatiques. La température, sur les quais, est assez constante, avec une variation d'à peine cinq degrés entre l'été et l'hiver. C'est ainsi que sur les quais et dans les couloirs, il n'y a aucun besoin pour de la climatisation ou du chauffage. Ça, c'est un avantage. Par contre, à cause de notre climat, à cause du froid et de la neige, notre réseau de métro est entièrement souterrain, aucune de ses portions ne sort de la terre, comme c'est le cas dans la plupart des grandes villes, par exemple à New York ou à Paris. Cela a augmenté le coût de construction du réseau, et cela limite aussi son développement.

Le climat a également forcé les concepteurs du métro à recourir à des structures qui n'existent pas dans la plupart des villes. À Paris, à New York ou à Londres, une bouche de métro, c'est essentiellement un trou rectangulaire dans le trottoir, avec un escalier sur l'un de ses côtés et un garde-corps sur les trois autres. À Montréal, une bouche de métro, c'est toute une affaire, une structure au-dessus du sol, parfois même un édifice, des mécanismes pour protéger l'intérieur de l'air froid. Ces structures, qu'on appelle des édicules, coûtent quelque chose comme 5 millions de dollars chacun, une dépense qui n'existe pas ailleurs. La simple réfection d'un édicule de la station Laurier coûtera 2 millions à la STM.

Les autobus n'y échappent pas non plus. Il faut des véhicules capables de résister à l'hiver et de garder leurs passagers au chaud, et des abribus conçus pour le froid. À cela s'ajoute un coût important, l'obligation de faire l'entretien des véhicules, de les nettoyer et de faire le plein dans d'énormes garages au lieu de le faire dehors à l'abri d'un simple toit, comme partout ailleurs. Ces garages sont des structures complexes, qui doivent être capables de composer avec les écarts de température et les émanations de gaz toxiques.

L'hiver, c'est aussi la saleté. La sloche dans les couloirs et sur les quais du métro, qui exigent un degré d'entretien qu'on ne retrouve pas ailleurs. C'est l'obligation de laver les autobus tous les jours pour que les passagers puissent voir à travers les fenêtres, c'est la nécessité de les réchauffer la nuit pour pouvoir débarrasser leurs planchers de la neige, de la glace et du calcium.

L'hiver apporte aussi une foule de contraintes qui interdisent à une ville comme Montréal de faire fonctionner son réseau de transport comme une autre grande ville, par exemple l'impossibilité d'inclure plus que 5 % de biodiésel dans le carburant, contre 15 % ailleurs, parce que ce produit se transforme en graisse de bacon l'hiver ; les contraintes aux autobus électriques à cause des besoins de chauffage ; les limites au développement du tramway parce que les nouvelles générations de wagons, très bas, peuvent dérailler lorsqu'il y a accumulation de neige. Et je n'ai pas parlé du déneigement, du coût de l'énergie ni de la gestion des horaires. Tous ces facteurs peuvent expliquer que l'opération d'un réseau de transport dans une ville québécoise ou une ville canadienne coûte vraiment plus cher que dans une ville plus tempérée. Surtout, cela montre à quel point l'hiver rend les choses compliquées.

On retrouve le même genre de contraintes et cette même complexité pour les aéroports ou le réseau ferroviaire. Les villes font face à d'autres problèmes, par exemple devoir enfouir plus profondément leurs égouts et leurs aqueducs pour qu'ils puissent résister au gel. Pensons à ce que cela peut représenter à Montréal, avec ses 770 km de réseau principal et ses 3600 km de conduites d'eau secondaires qui doivent être sous la ligne de gel, donc au moins à une profondeur de 1,5 m.

ET UNE FOULE DE CHOSES

D'autres grandes institutions, comme Hydro-Québec, rencontrent des problèmes, comme l'accès plus difficile au réseau en raison de la neige. Mais contrairement à ce que l'on pourrait croire, les pannes de son réseau de distribution sont plus fréquentes l'été, à cause du vent, des orages, des feuilles aux arbres qui augmentent les chutes, des animaux, des oiseaux. En plus, l'hiver, le refroidissement naturel permet de transporter une plus grande charge et rend les transformateurs plus efficaces.

Comme dans la vie quotidienne des familles, la vie publique doit aussi s'adapter de centaines de façons à nos conditions climatiques. Plein de petits riens que l'on ne voit pas, tant on y est habitués, mais qu'un visiteur étranger pourra parfois remarquer.

C'est le cas du remballage pour l'hiver des équipements utilisés l'été. Pensons aux restaurants qui doivent démonter leurs terrasses à l'automne et qui, incidemment, ne pourront amortir ces investissements que six mois par année. Pensons à Bixi, qui doit remiser ses vélos et ses stations pendant des mois et qui, en fait, doit cesser ses opérations. Pensons aux belles fontaines publiques qu'il faut vider, «hiverniser» et qui cessent d'agrémenter la vie publique presque la moitié de l'année. Pensons aussi à la préparation pour l'hiver, comme la protection des arbres contre les grattes et les souffleuses, les fanions qu'il faut installer pour repérer les bornes-fontaines ou encore identifier le tracé des chemins lorsqu'ils sont couverts de neige.

Pensons aussi aux choses simples qui deviennent compliquées, comme les guichets automatiques qui, presque partout dans le monde, n'exigent qu'un trou dans le mur d'un édifice, directement sur le trottoir, tandis qu'ici, les institutions financières doivent prévoir un local à l'intérieur, protégé contre le vol, avec des cloisons.

«HIVERNISER» NOS VILLES

Il y a enfin une autre catégorie de dépenses liées à l'hiver, celles que l'on devrait faire, mais que l'on ne fait pas. Nous avons eu tendance à calquer notre architecture et notre développement urbain sur des modèles nord-américains mal adaptés à nos conditions climatiques. L'étalement urbain, par exemple, a de plus lourdes conséquences dans un climat nordique où la logique voudrait qu'on rapproche les maisons pour l'isolation, que l'on réduise les distances à parcourir. L'architecture pourrait davantage être adaptée au climat, comme le fait par exemple la Suède en orientant les maisons pour profiter davantage des rayons du soleil, comme nous avons maladroitement tenté de le faire avec les affreuses marquises de la plaza Saint-Hubert, à Montréal, ou le non moins affreux toit qui recouvrait la rue Saint-Joseph à Québec, ou encore avec les réseaux souterrains du centre-ville de Montréal, fort pratiques, mais qui donnent un caractère orwellien à la vie urbaine.

Il y a beaucoup à faire pour rendre les villes plus conviviales l'hiver, pour les rendre plus supportables. C'est l'objet de réflexion de tout un courant de pensée d'urbanistes et d'architectes. Par exemple, un gros colloque international de trois jours s'est déroulé en janvier 2015 à Edmonton, Winter Cities, dont le propos était de rendre les villes supportables, c'est-à-dire de les aménager pour encourager les gens à être dehors plus souvent. Il ne s'agit pas de volontarisme pour convaincre les gens des vertus salvatrices du froid, parce que même les grands spécialistes des villes d'hiver, comme Norman Pressman, conviennent du fait que les grands froids rendent les espaces urbains très inconfortables. Leurs recherches portent plutôt sur des façons de rendre les villes plus vivables l'hiver, de réduire les effets du froid, d'augmenter le nombre de jours où il est confortable d'être dehors, surtout en protégeant les gens du vent et en misant sur la chaleur du soleil.

Un spécialiste de la question, André Potvin, professeur d'architecture à l'Université Laval, a par exemple mesuré la température à différents endroits de la capitale. En répertoriant ainsi les microclimats de la ville, il a découvert qu'il y avait un écart moyen, vraiment considérable, de 13 degrés entre les zones les plus chaudes et les zones les plus froides, à cause des effets du vent et des rayons de soleil. On devine que plus une zone est à l'abri du vent et plus elle est chauffée par les rayons du soleil, plus la température y sera agréable. Cela exige donc des mesures pas nécessairement coûteuses, dans la planification des villes, pour éviter que les immeubles créent des couloirs de vent, pour réduire l'ombre qu'ils projettent sur les lieux de vie, pour protéger les parcs du vent par des arbres ou une disposition bien pensée des édifices, pour prévoir que les lieux de circulation soient ensoleillés ou pour concevoir des mobiliers urbains, comme les bancs publics, qui protègent du vent et permettent de profiter du soleil. La volonté de l'administration municipale de Montréal du maire Coderre de chauffer les trottoirs de la portion ouest de la rue Sainte-Catherine, dans le cadre du grand projet de réfection de cette artère commerciale, s'inscrit bien dans cette logique. Bien des gens ont trouvé le coût de 15 millions exorbitant, mais c'est le genre de dépense qui a tout son sens dans une ville nordique.

UN PETIT BILAN

Pour conclure, si on additionne les estimations que j'ai proposées tout au long de ce chapitre, on arrive à une somme quand même coquette : 9,5 milliards de dollars pour le pont Champlain et l'échangeur Turcot qui tombent en morceau, somme que l'on peut amortir, espérons-le, sur 50 ans, ce qui donne, avec les intérêts, quelque chose comme 500 millions par année. Sans compter tous les autres ouvrages qui tomberont pour la même raison. Un milliard pour le déneigement. Peut-être 500 millions par année pour l'entretien de nos routes, soit 10 % de dépenses annuelles de 5 milliards. Une prime de 5 %, 1,250 milliard de plus pour les investissements non résidentiels de 25 milliards. Sans compter le chauffage et l'entretien. Une pléthore de coûts additionnels, à commencer par ceux du transport en commun et des infrastructures municipales.

En fin de compte, en tenant compte de tous ces éléments, et en évitant de trop tirer l'élastique, j'arrive à une somme d'environ 10 milliards par année. C'est à peu près, pour donner un ordre de grandeur, 3 % de notre PIB. Ce sont 10 milliards avec lesquels, si Jacques Cartier et ceux qui l'ont suivi avaient tourné leur gouvernail un peu sur la gauche, on aurait pu faire autre chose.

— 12 —
L'économie
qui venait du froid.

La vague de froid que nous avons connue en 2014 n'a pas seulement touché le Québec. Elle a aussi déferlé sur les États-Unis. Le thermomètre a plongé, trois tempêtes de neige majeures ont frappé la côte Est, ce qui ne s'était pas vu depuis 60 ans. Le choc a été tel que le PIB américain a reculé de 2,9 % au premier trimestre de cette année-là, la pire baisse depuis la crise de 2009.

Ce recul avait d'autres causes, mais les spécialistes ont estimé que l'hiver anormalement rigoureux en expliquait la moitié, soit 1,5 % du PIB. Cela illustre bien le fait que l'hiver et le froid peuvent avoir un solide impact sur l'activité économique. C'est avec en tête des exemples comme celui-là que j'ai entrepris la recherche et la rédaction de ce chapitre sur les coûts économiques de l'hiver.

Dès le départ, j'étais convaincu que cet impact était considérable. Je partais du principe que le ralentissement marqué dans certaines industries, comme l'agriculture, les coûts additionnels engendrés par les conditions hivernales et les pertes de productivité affectaient la croissance et donc le niveau de vie.

En réfléchissant davantage à la question et en fouillant un peu, je me suis aperçu que ce n'était pas vraiment le cas. Je ne veux pas dire que l'hiver n'a aucun impact, il a quand même une forte influence sur la façon dont on travaille, on consomme et on produit, mais cela n'a pas pour effet de plomber notre économie ni de nous appauvrir.

Est-ce que je suis en train de dire une chose et son contraire dans la même page, en évoquant les conséquences dévastatrices de l'hiver sur l'économie américaine pour ensuite dire que l'impact économique de l'hiver est modeste ? Pourquoi les effets seraient-ils spectaculaires au sud de la frontière, mais pas au Québec, où il fait beaucoup plus froid ?

Il y a une réponse toute simple à cette apparente contradiction. Une vague de froid ou des tempêtes ont un fort impact chez nos voisins parce qu'ils sont mal préparés à ces chocs hivernaux. Ils n'ont pas l'équipement pour bien déneiger les rues, leurs réseaux électriques sont moins bien protégés, les automobiles n'ont pas de pneus d'hiver. Tant et si bien que le froid et la neige les paralysent, assez pour que les entreprises et les commerces ferment leurs portes, que la construction arrête, que les gens ne sortent pas de chez eux, avec des effets mesurables sur la production, l'emploi et la consommation. Au Québec et au Canada, nous y sommes si habitués que ces incidents climatiques ne bousculent pas beaucoup notre train-train quotidien.

LA RÉSILIENCE

Derrière cette réponse simple, il y a un grand principe général. Les humains sont résilients. Ils s'adaptent à leur environnement. Leur mode de vie et leurs activités économiques s'ajustent. Prenons l'exemple de l'agriculture. Au Québec, la terre gèle l'hiver et ne produit plus rien. Nos ancêtres ont donc maîtrisé l'art de faire des conserves, des marinades, des confitures. Ils ont fait reposer leur alimentation sur des légumes qui pouvaient se conserver longtemps, comme les choux, les carottes, les navets et les pommes de terre. On a fait la même chose à grande échelle, en adaptant nos activités économiques à notre géographie et à notre climatologie, en misant sur les secteurs où les conditions hivernales sont un avantage, ou du moins pas un inconvénient.

C'est le premier grand facteur qui explique pourquoi l'impact économique de l'hiver est moins marqué qu'on peut le croire. L'économie s'organise autour des besoins. Même dans une économie avancée, qui a dépassé depuis longtemps le stade de la subsistance, une partie très importante des produits que nous fabriquons et des services que nous dispensons sert encore à combler des besoins de base – se nourrir, se loger, s'habiller, se déplacer – ou des services publics et privés qui nous paraissent nécessaires – salons de coiffure, pharmacies, restaurants, écoles et hôpitaux. Comme le climat modifie la nature de ces besoins, l'activité économique s'adapte. Il y a, par exemple, plus d'entreprises qui font du déneigement à Montréal qu'à Washington, et à l'inverse, plus d'entreprises d'entretien paysager à Washington.

On ne peut pas pour autant dire que l'hiver soit une bonne chose au plan économique parce qu'il permet la création de ces emplois hivernaux. L'économie est aveugle, elle s'ajuste aux besoins, qui varient d'une société à l'autre. Si nous vivions à une autre latitude, les besoins seraient différents et les emplois seraient créés ailleurs.

On connaît les critiques exprimées à l'égard du produit intérieur brut comme mesure du succès économique, et à plus forte raison du progrès social. L'exemple de l'accident d'auto illustre bien les limites de cette mesure. Si une automobile frappe un poteau, il faut une remorqueuse, des réparations au garage, une intervention de l'assureur. Tout cela génère de l'activité qui fait augmenter le PIB, même si, en soi, l'accident n'a rien de positif. Ce serait encore mieux, pour le PIB, si la collision impliquait deux voitures. De la même façon, les dépenses hivernales font rouler l'économie, même si c'est pour des produits et des services qui n'apportent rien de plus que de nous aider à gérer les contraintes imposées par l'hiver.

On ne peut donc pas transposer la logique individuelle au niveau collectif. Les dépenses d'hiver grèvent le budget familial et réduisent la marge de manœuvre des consommateurs en leur imposant des dépenses qu'ils préféreraient ne pas avoir à faire. Mais ces mêmes dépenses n'ont pas le même impact négatif à l'échelle de l'économie dans son ensemble. Peu importe leur nature, elles vont faire rouler l'économie, que ce soit pour des gants pour se protéger du froid au Québec, pour des parasols pour se protéger du soleil dans le Sud ou pour des parapluies à Londres.

LA SAISONNALITÉ

La deuxième raison pour laquelle l'hiver n'affecte pas tant l'économie, c'est que ses impacts touchent finalement un nombre restreint de secteurs.

Il est vrai que la vie économique ralentit au Québec pendant la saison froide. On le voit avec l'emploi, qui atteint en général un sommet au début de l'été pour tomber dans un creux au cœur de l'hiver. En 2015, on dénombrait 3 976 000 emplois en janvier, le pire mois de l'année, et 4 185 300 en juin. Chaque année, on retrouve ce même écart d'environ 200 000 emplois entre l'hiver et l'été.

Deux cent mille emplois, ce n'est pas rien, mais il faut se demander trois choses. Le fait que le niveau d'emploi soit plus bas en début d'année s'explique-t-il par les conditions hivernales ou par d'autres facteurs ? Est-ce que cela représente une perte sèche ou tout simplement un déplacement des activités à une autre période de l'année ? Est-ce que la situation est unique au Québec, et donc attribuable à notre hiver, ou est-ce un phénomène que l'on retrouve sous d'autres climats ?

On retrouve des cycles saisonniers partout, et ce n'est pas toujours pour des raisons climatiques. L'activité agricole augmente beaucoup l'été quand la végétation se développe. Ça, c'est climatique. Les ventes au détail, elles, connaissent un sommet en décembre. Cela s'explique par le magasinage des Fêtes, quoique, en étirant l'élastique, on pourrait trouver une origine climatique à la décision arbitraire des autorités chrétiennes de fixer la date de la naissance de Jésus au 25 décembre, pour l'arrimer aux fêtes du solstice d'hiver des populations païennes. De la même façon, les vacances scolaires, qui ont une énorme influence sur le tourisme et le loisir, ont une origine climatique : c'était d'abord pour les travaux des champs et c'est maintenant pour permettre aux citoyens de profiter du beau temps.

Mais il y a des cycles saisonniers dans tous les pays occidentaux auxquels on peut se comparer, notamment un ralentissement de l'activité agricole l'hiver et une haute saison pour le tourisme l'été, et surtout la quasi-paralysie de pans entiers de l'activité économique pendant la belle saison. Ce qu'il faut donc regarder, c'est la portion de ces mouvements cycliques qui peut être attribuable au caractère excessif de notre climat et dont les impacts sont plus marqués ici que dans des pays plus tempérés.

On va prendre ces industries cycliques une à une. Elles ne sont pas nombreuses : l'agriculture, les pêcheries, la foresterie, la construction et le tourisme. Par définition, les secteurs touchés par l'hiver le sont parce qu'ils dépendent de ce qui se passe à l'extérieur soit parce que leurs employés doivent travailler dehors, comme en foresterie ou dans la construction, soit parce qu'ils sont tributaires des saisons, comme dans l'agriculture, soit parce que leurs clients seront dehors, comme dans le tourisme.

UNE AGRICULTURE NORDIQUE

L'industrie la plus saisonnière est l'agriculture. Tous les pays tempérés connaissent une pause de l'activité agricole en hiver, mais celle que connaît le Québec et la plupart des autres provinces canadiennes est clairement plus marquée qu'ailleurs. La saison agricole est courte. Le travail de la terre ne peut pas vraiment commencer avant le dégel, et la période de croissance végétale est souvent limitée par les gelées tardives du printemps et les gelées précoces de l'automne. Ça donne cinq mois, parfois moins. En 2014, on dénombrait 47 400 emplois en agriculture en janvier et 62 100 en juin. Une variation importante de 31 %[30]. On doit quand même noter que le monde agricole conserve 69 % de ses emplois l'hiver.

L'hiver a donc un effet économique moindre qu'on pourrait l'imaginer parce que l'agriculture, résiliente, s'est adaptée en se spécialisant dans des domaines moins vulnérables aux contraintes du climat et en se concentrant largement dans les productions animales, qui peuvent se faire à l'intérieur et qui peuvent se poursuivre 12 mois par année. En 2013, selon les données colligées par l'Institut du Québec, 65 % des revenus monétaires de l'agriculture provenaient de la production animale, soit 5,1 milliards sur 7,8 milliards, les produits laitiers en tête, suivis par le porc, les volailles et les œufs, puis les bovins. En outre, une partie des récoltes est destinée à la production animale. Les productions végétales, surtout maraichères, très tributaires du climat, jouent un rôle relativement secondaire. Et c'est ainsi que le secteur agricole québécois réussit à traverser notre hiver et à compenser les effets des cycles saisonniers.

À cela s'ajoute un autre facteur d'atténuation : la tertiarisation de l'économie. Le poids du secteur primaire – les mines, la forêt et l'agriculture – est beaucoup moins important qu'avant, ce qui est aussi le cas du secteur secondaire – la fabrication –, tandis que l'économie tertiaire – les services, des médias au secteur public en passant par le commerce ou les professions de tous genres – se développe de plus en plus. Or, ce sont les industries primaires qui sont en général les plus vulnérables aux mouvements saisonniers. Comme elles sont en perte de vitesse par rapport à l'économie dans son ensemble, les mouvements qui les affectent ne paraissent à peu près pas à l'échelle globale.

Dans les pêcheries, par exemple, on compte 4500 pêcheurs, propriétaires et matelots, et environ 5500 emplois dans la transformation, pour un total de 10 000 emplois. Les mouvements saisonniers, qui touchent environ 3000 personnes, sont majeurs pour l'industrie et pour les régions affectées, mais imperceptibles à l'échelle nationale. Même chose pour les 10 000 emplois en aménagement forestier.

Ces facteurs d'atténuation jouent aussi dans l'agriculture. En juin 2014, le mois le plus actif de l'année, les emplois agricoles ne comptaient que pour 1,5 % de l'emploi total, ce qui fait en sorte que les cycles saisonniers en agriculture ont des effets économiques relativement limités.

Les véritables coûts de l'hiver se manifestent de façon plus indirecte. Premièrement, notre agriculture, défavorisée par sa courte saison, a des coûts de production plus élevés et a du mal à être compétitive par rapport à d'autres pays. Deuxièmement, le potentiel de production est moindre en raison de la faible proportion du territoire qui est cultivable. Troisièmement, l'argument du climat a justifié la mise en place de politiques d'aide agricole qui ont eu un effet débilitant, comme la gestion de l'offre pour le lait, la volaille et les œufs.

Ces trois facteurs font en sorte que le Québec n'est pas autosuffisant au plan agricole. Dans sa politique de souveraineté alimentaire, le gouvernement Marois estimait que le Québec ne comblait que de 33 % à 50 % de ses besoins, selon les façons de mesurer. L'objectif d'autosuffisance, que le Québec n'atteint pas, doit être pris dans son sens large. Il ne s'agit pas de tout faire nous-mêmes. Les clémentines ne poussent pas ici, même en serre. Et s'il faut augmenter la consommation de produits locaux, on ne parviendra à l'autosuffisance qu'en vendant assez de produits à l'extérieur pour compenser ceux qu'on achète de l'extérieur.

Certains pays y parviennent, comme la France, dont l'agriculture est le deuxième poste d'exportation. Le Canada aussi. Grâce aux céréales, aux huiles et au bœuf de l'Ouest, il est le cinquième plus gros exportateur agricole au monde. Il est en outre un exportateur net. En 2014, le Canada a vendu à l'étranger pour 23,9 milliards de dollars de produits agricoles et il en a importé pour 9,8 milliards, pour ainsi enregistrer un surplus de 14,1 milliards de dollars.

Le Québec, lui, est en situation de déficit, ce qui implique une sortie de dollars et une pression négative sur l'activité économique. Cela ne s'explique pas directement par le climat, parce qu'il fait plus froid dans une province agricole comme la Saskatchewan, mais par les systèmes mis en place pour protéger l'agriculture qui entravent la capacité du Québec d'exporter ses produits.

CONSTRUIRE DANS LE FROID

L'autre grand secteur tributaire du climat, c'est l'industrie de la construction. Même si les nouvelles technologies, notamment pour le béton, rendent les choses plus faciles, le froid, avec le couvert de neige et de glace, représente une importante contrainte : le gel des sols, les effets sur certains matériaux, l'obligation de protéger et de chauffer les chantiers, les risques pour les travailleurs... La construction l'hiver est plus lente, plus coûteuse et plus risquée. Assez pour que de nombreux contrats, dans le public et dans le privé, comportent des clauses liées à l'hiver, par exemple pour terminer les travaux avant le gel ou pour prévoir des prix plus élevés si les activités se déroulent pendant la saison froide.

Cela contribue à expliquer les mouvements importants dans l'embauche. Le niveau d'emploi peut varier de 50 000 à 70 000 entre l'été et l'hiver, par exemple 264 500 emplois en juillet 2014 et 209 800 en mars 2015[31]. Mais ici aussi, on peut compter sur un facteur d'atténuation. En agriculture, la production que l'on ne fait pas parce que le climat l'interdit est une production perdue. Pas en construction. Ce n'est pas parce qu'il fait froid l'hiver qu'on construira au final moins de maisons, d'immeubles ou d'usines. L'industrie tourne au ralenti l'hiver, mais se rattrape le reste de l'année. Ce cycle saisonnier a quand même des effets sur les coûts de construction. Si on construit l'hiver, ça coûte plus cher, mais si on reporte les travaux au printemps, ça coûte aussi plus cher parce que le volume d'activité, concentré sur une plus courte période, provoquera des goulots d'étranglement et de la rareté pour la main-d'œuvre, les équipements et les matériaux.

L'ATTRACTION SOLAIRE

Ce n'est hélas pas ce qui se passe dans le tourisme, l'autre grand secteur soumis à des variations climatiques. En gros, les recettes touristiques du premier trimestre, celui de l'hiver, représentent 16,7 % du total de l'année. C'est le trimestre creux. Le troisième trimestre, juillet, août et septembre, en ramasse, lui, 42,3 %, soit pas loin de la moitié.

Presque partout dans le monde occidental, l'activité touristique est plus intense l'été que l'hiver. Mais l'amplitude est certainement plus élevée ici, parce que la belle saison commence plus tard et finit plus tôt, et que le tourisme hivernal est nettement moins développé et ne suffit absolument pas à compenser, malgré tous les efforts que l'on peut faire.

Certains créneaux touristiques échappent en partie aux rythmes climatiques, comme les déplacements d'affaires et les congrès, quoiqu'ils soient moins nombreux au cœur de l'hiver. Par exemple, le taux d'occupation des hôtels à Montréal, d'environ 50 % en février, est bien loin des 80 % de juillet. Mais malgré ses nombreux efforts pour mettre en valeur ses attributs hivernaux – le Carnaval de Québec, Montréal en lumière –, le Québec n'est pas une destination hivernale qui a un grand pouvoir d'attraction, notamment auprès des clientèles étrangères. Nos stations de ski attirent une clientèle de proximité, surtout québécoise ou ontarienne.

La difficulté d'attirer des étrangers l'hiver et la durée trop courte de la saison d'été engendrent des pertes de revenus importantes et limitent la création d'emplois. À cela s'ajoute un autre coût : l'attrait des Québécois pour les destinations étrangères. S'il est normal et souhaitable que les Québécois voyagent, l'idéal, au plan économique, serait que ces déplacements à l'extérieur, qui correspondent à une forme d'importation, soient inférieurs aux visites d'étrangers au Québec, qui représentent une forme d'exportation. Plusieurs pays sont en situation de surplus pour leur balance touristique internationale, comme les États-Unis (avec un surplus de 42,7 milliards de dollars américains), l'Espagne (40,6), l'Italie (14,8) et la France (14,5). Des surplus qui s'expliquent par une foule de raisons : le climat, les attributs naturels, le patrimoine ou encore la force économique.

Ce n'est pas le cas au Canada, en déficit de 16,6 milliards de dollars, ni du Québec, avec un déficit de 3,4 milliards. On dépense donc 3,4 milliards de plus à l'étranger que les étrangers dépensent chez nous. C'est une sortie de fonds, où notre argent profite à d'autres économies et pas à la nôtre. En termes économiques, c'est clairement un coût pour le Québec. Ce déficit touristique est influencé par des facteurs comme le taux de change, mais aussi par l'attrait des destinations-soleil, contre lequel l'industrie touristique québécoise n'a aucune parade. En fait, on pourrait dire que s'il n'y avait pas cet attrait pour le soleil, le Québec ne serait pas en situation déficitaire en tourisme.

DES AVANTAGES À L'HIVER ?

Y a-t-il des avantages économiques à l'hiver ? Bien sûr qu'il y en a.

D'abord, tous les secteurs liés à des activités hivernales ou qui servent à répondre à des besoins hivernaux profitent évidemment de l'hiver. Cela correspond à ce que je décrivais plus tôt, le fait qu'une économie s'adapte à son environnement et à ses contraintes. Mais mon argument joue dans les deux sens. Si notre hiver n'était pas aussi long et aussi dur, on dépenserait notre argent ailleurs et d'autres secteurs de l'économie en profiteraient.

Par exemple, Hydro-Québec encaisse plus de revenus quand les vagues de froid font augmenter les coûts de chauffage. L'hiver, c'est donc bon pour Hydro, tout comme pour Gaz Métro. Mais personne n'aurait l'idée de prétendre que ces revenus additionnels pour nos fournisseurs d'énergie constituent un avantage économique, puisque ça sort de notre poche. Il y a gain économique, dans le cas de l'électricité, quand le froid fait grimper la demande américaine et augmente les exportations d'électricité. Mais dans ce cas, ce n'est pas notre hiver qui est une source de bienfaits économique, mais plutôt celui des autres!

De véritables gains économiques peuvent aussi être présents quand nos besoins hivernaux permettent le développement d'une production locale. Si, par exemple, nos manteaux, nos mitaines, nos pelles sont produits ici plutôt qu'au Sri Lanka ou en Chine, il y aura un gain pour nous. À un second niveau, si cette réalité hivernale nous procure un savoir-faire ou des avantages comparatifs sur d'autres pays, notre climat sera une source de développement, à plus forte raison si cela mène à des exportations, par exemple pour les équipements de hockey ou les vêtements d'hiver. Mais les exemples de ce genre de succès sont assez rares, car le Québec n'a pas autant réussi à s'imposer comme référence nordique que les pays scandinaves. Ce sont les Suédois qui nous vendent leurs souffleuses Husqvarna, pas l'inverse.

Il y a heureusement quelques cas, rares, mais significatifs, où nos conditions climatiques ont servi de déclencheur de développement. Je pense évidemment à Bombardier, née de la créativité d'un innovateur, Joseph-Armand Bombardier, qui connaissait l'hiver et qui cherchait à répondre à des problèmes créés par l'hiver. Le succès du Ski-Doo a été un levier pour la suite des choses et a permis à un fabricant de motoneiges de devenir un géant mondial du transport. Sans neige et sans froid, il n'y aurait pas eu de Bombardier, et donc pas de wagons de métro ni de Challenger.

En étirant un peu l'élastique climatique, on peut dire que notre géographie nordique, avec ses lacs et ses rivières, a permis le développement hydroélectrique du Grand Nord. Cela a fait du Québec le deuxième producteur mondial d'hydroélectricité, a permis le développement du géant qu'est Hydro-Québec et a favorisé l'essor du génie-conseil québécois dont le poids mondial est considérablement supérieur au poids du Québec. Sans la nordicité du Québec, SNC-Lavalin n'existerait pas.

Il y a donc des cas où nos spécificités climatiques nous ont conféré un avantage et ont contribué à notre croissance. Mais la liste est courte et ne suffit pas à compenser le fardeau que l'hiver impose à d'autres secteurs, comme le tourisme et l'agriculture.

UN AVANTAGE MORAL ?

Mais il y a peut-être d'autres avantages économiques à l'hiver, au froid et à la nordicité, moins tangibles, moins mesurables. Je ne sais combien de personnes à qui je parlais de mon projet de livre m'ont dit que les conditions climatiques rigoureuses façonnaient le caractère et avaient développé chez les populations nordiques un sens du travail et de l'effort que l'on ne retrouve pas dans les populations des pays chauds, tant et si bien qu'il y aurait un lien entre la nordicité et la performance économique.

Peut-être attrayante au premier abord, cette hypothèse ne résiste pas à l'analyse. Il est vrai que le nord de l'Europe est plus riche que le sud du continent, et encore plus que ce qui se trouve de l'autre côté de la Méditerranée. Les pays du Nord sont en général plus riches que les pays du Sud. Mais est-ce parce que leur esprit nordique nourrit une culture de création de richesse ?

La première grande faiblesse du raisonnement, c'est qu'il ne s'applique pas partout. Et par un malheureux hasard, il ne s'applique pas au Québec! Si la causalité était évidente et si la nordicité constituait, en soi, une sorte de levier économique, le Québec, avec son climat rigoureux, serait parmi les plus performants de la planète. Ce n'est vraiment pas le cas. Le Québec fait partie des provinces pauvres du Canada même s'il est une des provinces les plus froides, il arrive cinquante-cinquième sur 60 juridictions nord-américaines – les 10 provinces canadiennes et les 50 États américains – pour son niveau de vie, et se retrouve, à l'échelle internationale, dans le bout de l'Italie. Bien sûr, cela s'explique par une foule de facteurs, mais disons que les effets galvanisants du climat ne semblent pas avoir opéré au Québec. On note aussi que, sur notre continent, plusieurs pôles de haute performance des États-Unis – Floride, Texas, Californie – se retrouvent là où poussent des palmiers et sévissent serpents et alligators.

On peut ajouter que cette grille explicative, qui comporte des éléments de plausibilité pour l'Europe, ne fonctionne pas pour l'Asie et l'Amérique latine.

En fait, le lien entre l'économie et la nordicité repose largement sur la juxtaposition d'un constat et d'un stéréotype. Le constat, c'est le succès économique des pays du nord de l'Europe. Le stéréotype, c'est la comparaison entre une culture industrieuse du nord d'une part, et d'autre part l'esprit de farniente des civilisations méditerranéennes ou des îles tropicales où l'on n'a qu'à cueillir les fruits qui poussent tous seuls. Dans les faits, la vie est très dure dans beaucoup de régions chaudes où il faut travailler âprement pour survivre. À l'inverse, le Danemark est le pays de l'OCDE où les gens travaillent le moins (33,5 heures par semaine), avec les Pays-Bas (30,1 heures), tandis que le Portugal est l'un de ceux où l'on travaille le plus (avec

39,7 heures par semaine). Ce n'est pas l'effort de travail qui distingue les sociétés occidentales performantes des pays qui ont du mal à trouver la voie du succès, mais bien davantage l'organisation et la productivité.

Mais plus profondément, l'histoire ne supporte pas cette thèse. Pendant des millénaires, les sociétés qui ont dominé le monde, qui ont innové, qui ont fait progresser l'humanité n'étaient pas nordiques. Les grandes civilisations se sont développées dans des pays chauds ou très tempérés. C'est vrai de la Perse, de la Grèce antique, de Rome, de l'Égypte des pharaons, des dynasties chinoises et de l'Empire ottoman. Les grandes religions qui dominent encore le monde, le judaïsme, le christianisme, l'islam, le bouddhisme, le confucianisme, ne sont pas nées au Nord. Et pendant que ces civilisations inventaient l'écriture et les mathématiques, le Nord, surtout européen, était peuplé de « barbares ». Nos ancêtres. Cela peut sans doute s'expliquer, du moins en partie, par le fait que les conditions climatiques extrêmes maintiennent les humains dans une économie de subsistance où les exigences de la survie laissent peu de place au reste.

Au début du Moyen Âge, ce sont les Byzantins de Constantinople, les musulmans d'Afrique du Nord, les Arabes et les Ottomans qui non seulement dominaient cette partie du monde, mais aussi la culture et l'innovation scientifique. Longtemps, en Europe, le pouvoir n'a pas été un monopole du Nord, quand l'Espagne et le Portugal bâtissaient leurs empires et que les cités italiennes de la Renaissance florissaient. Le déplacement du pouvoir vers le nord, en France et en Angleterre a été lent. Ce n'est qu'au XIXᵉ siècle, avec la révolution industrielle et le développement du capitalisme, que l'Angleterre et ensuite les États-Unis ont installé leur domination. Mais si on peut associer cet essor à de multiples causes, comme le protestantisme, le climat est loin d'être un facteur déterminant. Et même s'il avait joué, on ne peut pas vraiment parler de nordicité dans le cas de la Grande-Bretagne. La glace, le froid et la neige n'y sont pour rien.

Les vrais nordiques, eux, ceux de la Scandinavie, ont connu certains succès militaires dans leur histoire, mais ne se sont pas distingués par leur performance économique ou le raffinement de leur culture. Pendant des siècles, ces pays étaient considérés comme arriérés à l'échelle européenne et, surtout, ils ont été très longtemps parmi les pays les plus pauvres d'Europe.

Un travail très fouillé de l'économiste Angus Maddison, qui a calculé le PIB des principaux pays sur une longue période pour des ouvrages de l'OCDE, montre, par exemple, qu'en 1850, on ne trouvait que deux pays vraiment plus riches que les autres, dont le PIB par habitant, en dollars de 1990, dépassait la marque des 2300 $: le Royaume-Uni et les Pays-Bas[32].

Dans un deuxième peloton, on retrouvait le Danemark, avec un PIB par habitant de 1767 $, dans la même catégorie que la France (1597 $) et l'Allemagne (1428 $). Mais la Suède, elle, avec 1289 $, était derrière les 1350 $ de l'Italie. La Norvège se retrouvait encore plus bas dans le classement. Avec un PIB par habitant de 956 $, elle se situait entre le Portugal (923 $) et l'Espagne (1079 $). Quant à la Finlande, à 911 $, elle réussissait tout juste à devancer la Grèce, à 816 $.

Le revirement de ces pays du Nord est survenu à la fin du XIXe siècle et surtout dans la première du XXe siècle. Leurs succès économiques constituent un phénomène récent, si récent que l'on peut conclure que la performance économique n'était pas un élément distinctif de leur culture. La nordicité, pendant des siècles et des siècles, ne semble pas avoir joué. Bref, ce n'est pas parce qu'on gèle qu'on est performants.

— 13 —
L'hiver et la santé : mourir de froid.

Une étude, publiée en mai 2015 dans *The Lancet,* un des journaux médicaux les plus prestigieux, estimait qu'à travers le monde, il y avait 17 fois plus de mortalité attribuable au froid qu'à la chaleur[33].

Nous savions déjà que nous étions un des seuls endroits du monde industrialisé où les conditions climatiques pouvaient tuer, par exemple un sans-abri mort de froid abandonné dans une ruelle. Aucune capitale, aucune grande métropole, ni New York, ni Londres, ni Paris, ni Tokyo, n'a à composer comme ça avec une météo qui tue autant.

L'étude britannique du *Lancet* nous apprend aussi que les morts de l'hiver ne se limitent pas aux incidents dramatiques et spectaculaires des jours de grand froid ou de tempête. L'hiver peut aussi tuer lentement, quand le froid empire les problèmes de santé, qu'il provoque des accidents, qu'il a des impacts psychologiques ou qu'il engendre des problèmes sociaux importants, particulièrement l'isolement des personnes âgées. C'est sur ces coûts humains que porte ce chapitre.

Je ne veux pas dramatiser inutilement. La plupart d'entre nous traversent l'hiver sans trop de problèmes, même si nous bougonnons. Mais l'impact sur la santé, avec toutes ses conséquences, est réel. Il est négatif et il ne comporte pas de contrepoids bénéfiques qui pourraient compenser ses méfaits. Il faut en effet fouiller beaucoup et pas mal étirer l'élastique pour prouver les vertus médicales de l'hiver.

Cela repose sur une base objective assez évidente. L'Homo sapiens n'est pas une espèce qui est née et qui s'est développée dans les régions froides du globe. Nos lointains ancêtres provenaient d'Afrique et ont lentement colonisé l'ensemble de la planète avec des flux et des reflux qui épousaient les glaciations et les déglaciations. Notre corps n'est pas adapté au froid et ne dispose d'aucun mécanisme physiologique pour y résister, comme de la fourrure ou du tissu adipeux brun. Pour un humain, la survie en hiver n'a rien de naturel. On peut vivre confortablement tout nu l'été, mais pas l'hiver. Et il ne semble pas que, pendant les centaines de milliers d'années de notre évolution, nous ayons assisté à une adaptation génétique qui nous permettrait de composer avec l'hiver, sauf dans quelques rares populations, comme les Inuits ou les Fuégiens d'Argentine. Les humains ont survécu à l'hiver non pas grâce à leurs prédispositions génétiques, mais en faisant appel à leur ingéniosité et à leurs progrès technologiques, le vêtement, le gite et le feu. La conséquence, c'est que notre corps doit toujours lutter contre l'hiver et qu'il peut être affecté par celui-ci.

UNE ÉTUDE RÉVÉLATRICE

Ce que j'aime aussi de l'étude du *Lancet*, à part le fait qu'elle apporte de l'eau à mon moulin, c'est qu'elle permet de répondre à l'avance à la question que je dois me poser dans mes comparaisons avec des pays qui ne connaissent pas nos conditions hivernales. Chaque fois, il faut tenir compte du fait que ces pays doivent composer avec d'autres coûts climatiques, comme la sécheresse, les ouragans ou l'humidité. Dans le cas de la santé, la chaleur entraîne son lot de conséquences – déshydratation, parasites, quand ce n'est pas la mort en période de chaleur extrême. Cette étude nous dit cependant que ces coûts de la chaleur sont infimes comparés à ceux du froid. Ajoutons aussi que le climat du Québec a quelque chose d'unique pour un pays qui peut pourtant paraître nordique, et c'est qu'il connaît, lui aussi, des vagues de chaleur potentiellement mortelles, ce qui fait du Québec l'un des rares endroits de la planète forcés de composer avec les deux pôles extrêmes de la rigueur climatique.

L'article du *Lancet* repose sur une très vaste enquête, financée par le Medical Research Council, du Royaume-Uni. Ses auteurs ont examiné près de 75 millions de décès dans 13 pays (Australie, Brésil, Canada, Chine, Italie, Japon, Corée du Sud, Espagne, Suède, Taiwan, Thaïlande, Royaume-Uni et États-Unis), de 1985 à 2012. Ils ont déterminé, pour 384 endroits, quelle était la température optimale, celle à laquelle on pouvait associer le moins de mortalité, pour ensuite analyser les décès survenus quand les températures étaient soit plus froides, soit plus chaudes que ces températures optimales.

Leur conclusion est que 7,71 % de ces morts pouvaient être attribuées à des températures non optimales. Ils mettaient en relief deux phénomènes étonnants. D'abord, comme je l'ai souligné plus haut, les morts attribuables au froid, 7,29 % de l'ensemble des décès, étaient beaucoup plus nombreuses que celles qui avaient été provoquées par la chaleur, soit à peine 0,42 % du total, d'où mes 17 fois plus. Ensuite, une portion très faible de ces décès climatiques, 0,42 %, soit un sur neuf, était survenue dans des périodes de froid extrême ou de chaleur extrême. Ce ne sont pas les phénomènes climatiques exceptionnels, canicules ou vagues de froid, qui tuent le plus, mais la chaleur ordinaire et, surtout, le froid ordinaire.

UN DOMAINE DOCUMENTÉ

Cette conclusion rejoint celle des travaux effectués sur la question au Québec et au Canada. Ils sont nombreux. Dans les chapitres précédents, j'ai souvent noté à quel point les données sur les effets de l'hiver étaient rares et incomplètes. Eh bien, pour la santé, c'est exactement le contraire : des dizaines d'études, des milliers de pages, assez pour se noyer dans les données.

Pourquoi ? En raison des changements climatiques. La mobilisation des gouvernements, particulièrement celui du Québec, ne s'est pas limitée à réduire les émissions de gaz à effets de serre. Elle a aussi porté sur l'analyse des effets des changements climatiques pour les identifier et proposer des façons d'y faire face.

Dans son Plan d'action 2006-2012, le gouvernement Charest avait mis à contribution plusieurs ministères et organismes québécois avec du financement du Fonds vert, dont les coffres sont garnis par une redevance sur les carburants et les combustibles fossiles[34]. Grâce à ce financement, l'Institut national de la santé publique (INSPQ) a lancé plusieurs projets de recherche et publié une foule d'études sur le climat et la santé.

Je ne peux qu'applaudir. Je note toutefois qu'il y a quand même un paradoxe. Pendant des siècles, les Québécois ont souffert du froid sans que cela n'intéresse tellement le monde de la santé. C'est grâce aux changements climatiques, et surtout grâce à la façon dont les gouvernements ont voulu illustrer leur ardeur à les combattre, qu'on a vraiment commencé à se pencher, avec des siècles de retard, sur une réalité qui a toujours fait partie de nos vies. Bref, on commence sérieusement à s'intéresser au froid au moment où, selon les modèles les plus sérieux, notre climat se réchauffera.

Pour faire l'inventaire de ces impacts du froid sur la santé, je m'inspire donc librement et abondamment d'un site Internet développé par l'Institut national de santé publique du Québec, intitulé *Mon climat ma santé, pour mieux s'adapter aux changements climatiques* (www. monclimatmasante.qc.ca), dont un des volets porte sur «Les dangers de l'hiver». C'est leur titre, pas le mien.

DES ACCIDENTS

Dans un premier temps, les tempêtes et les vagues de froid avec des périodes de basses températures, inférieures à –15 °C, auxquelles s'ajoute le vent et donc le facteur éolien, peuvent provoquer des incidents mortels. Selon Statistique Canada, 108 personnes perdent la vie en moyenne chaque année à cause des vagues de froid ou des tempêtes hivernales, tandis qu'on n'attribue que 17 décès à tous les autres phénomènes naturels, comme la foudre, les tornades, les inondations, les vagues de chaleur, les tremblements de terre ou les raz de marée. Le Québec a eu droit à quelques événements climatiques spectaculaires qui ont entraîné des pertes de vie, comme la tempête de neige de 1969 à Montréal ou la crise du verglas en 1998. Mais on sait moins que les avalanches ont tué 32 personnes au Québec depuis 1970...

Le froid ne fait pas que tuer. Il peut aussi blesser. D'abord avec les engelures, qui sont l'équivalent d'une brûlure et qui, quand elles sont profondes, peuvent provoquer des lésions graves, par exemple la perte d'orteils ou de pieds. Ensuite avec l'hypothermie, qui se produit quand on est mal protégé, qu'on est exposé trop longtemps à une basse température ou que nos mécanismes thermorégulateurs sont déficients. L'hypothermie, quand la température centrale du corps se met à baisser, peut provoquer de sérieux malaises et même la mort. Les décès surviennent le plus souvent quand elle est associée à des accidents de la route, à des tragédies en motoneige, à des chutes dans l'eau glacée, à l'itinérance. Aux États-Unis, plus de 16 000 décès ont été attribuables à l'hypothermie de 1979 à 2000. Au Québec, il y a peu de données, mais on aurait dénombré quelques cas par année à partir de rapports de coroners. Il est toutefois possible que même s'il fait très froid au Québec, l'hypothermie frappe moins parce que nous sommes mieux protégés, mieux habillés, mieux chauffés. Durant l'hiver 2015, particulièrement sévère, les cas de morts causés par l'hypothermie qui ont fait les manchettes sont survenus à Toronto, moins habituée à ces excès climatiques.

Par contre, on meurt moins sur les routes l'hiver. J'écrivais plus tôt qu'il y a de 15 000 à 20 000 collisions de plus entre octobre et mars. Par contre, il y a moins d'accidents qui provoquent des décès ou des blessures graves. Ceux-ci sont plus fréquents en été, de juin à août. Pourquoi l'hiver est-il moins dangereux sur nos routes ? Sans doute parce qu'on fait plus de kilométrage l'été pendant la période des vacances, qu'on compte alors plus de véhicules vulnérables, vélos et motos, mais aussi parce qu'on roule moins l'hiver (surtout quand les conditions sont mauvaises), qu'on est plus prudents, et peut-être parce que les conséquences d'une sortie de route sont moins dramatiques.

L'hiver est également une cause importante de chutes, et donc de fractures et de blessures. Il n'y a pas de statistiques complètes, mais une enquête datant de 2010, réalisée par l'Agence de santé et de services sociaux de Montréal, peut en donner une bonne idée. Pour les mois de l'hiver 2008-2009, cette étude a recensé, à Laval et à Montréal, les cas de chute qui avaient nécessité le recours à une ambulance. Elle montre, on s'en doute, que ces chutes augmentent de façon significative lorsqu'il y a de la pluie suivie d'un gel ou de la pluie verglaçante. Je ne vous apprendrai rien sur les dangers des trottoirs glacés, mais ce que je veux souligner, c'est que cela a un impact sur la santé des gens et sur le système de santé, sur le recours aux ambulances, sur la congestion des urgences et sur les hospitalisations.

Je n'ajouterai pas à cette longue liste des accidents hivernaux, ceux qui sont provoqués par les sports d'hiver, hockey, patin, ski alpin, ski de fond, motoneige et quad. Ils sont nombreux. Ils ne résultent pas du climat en tant que tel, mais plutôt de la façon dont nous nous adaptons à ce climat. La pratique de ces sports est un choix personnel qui comporte un contrepoids, les accidents résultant de la pratique des sports d'été, quoiqu'on doive noter que les sports d'hiver, qui reposent sur la glisse et sur les propriétés de la glace et de la neige, comportent des risques particuliers.

MOURIR DU FROID

Mais le véritable impact de l'hiver sur la santé est plus sournois. Le froid, même modéré, même vivable, déclenche une foule de mécanismes néfastes pour le corps humain, assez pour empirer des problèmes de santé existants et, dans des milliers de cas par année au Québec, mener au décès.

Je cite une description de ces effets réalisée en France par l'Institut de veille sanitaire parce qu'elle est complète et qu'elle a vraiment des accents apocalyptiques[35].

«Quand la température ambiante est suffisamment basse pour entraîner une diminution de la température centrale en dessous de 37 °C, on observe une vasoconstriction cutanée qui permet d'isoler les tissus périphériques du compartiment central en créant un gradient thermique entre la peau et les viscères profonds (cœur, cerveau, rein). La vasoconstriction s'accompagne d'une hypertension artérielle et d'une augmentation du tonus sympathique (système nerveux autonome) qui se traduit en particulier par une accélération du rythme cardiaque. La redistribution du sang circulant vers les organes est à l'origine d'une augmentation du secteur intravasculaire, ce qui aboutit à une hémoconcentration. On observe une augmentation de la concentration plasmatique de 10 % des globules rouges, des leucocytes, des plaquettes, du cholestérol et du fibrinogène, et une augmentation de la viscosité sanguine de 20 % environ. [...] De plus, sous l'effet du froid, l'organisme augmente sa thermogenèse. L'activité cardiaque augmente, ainsi que les besoins du cœur en oxygène. La production de chaleur peut dépendre soit de l'augmentation de l'activité musculaire squelettique (frisson thermique ou activité physique volontaire), soit d'un accroissement du métabolisme. [...] Des effets néfastes pour la santé apparaissent si le système thermorégulateur est déficient ou si le stress thermique est trop important. En général, les individus sains s'adaptent rapidement à la nouvelle température, ce qui n'empêche pas une augmentation de la morbidité, voire de la mortalité, en relation avec les faibles températures. [...] Néanmoins, même une faible baisse de la température corporelle interne peut induire des effets très néfastes chez les personnes fragilisées.»

Autrement dit, en français de tous les jours, quand il fait froid, le cœur se met à battre plus vite, le métabolisme s'accélère, le sang épaissit, et donc la pression artérielle, le taux de cholestérol et les risques de thrombose coronaire augmentent.

Au niveau cérébral, ces mêmes mécanismes peuvent être à l'origine d'accidents vasculaires cérébraux. Le froid affecte aussi le système respiratoire, parce qu'il y a un refroidissement de la muqueuse des voies respiratoires supérieures, ce qui inhibe les mécanismes de lutte contre les infections et favorise le développement d'infections bronchopulmonaires.

Dans l'ensemble, les principales causes de mortalité associées à l'hiver sont les pathologies respiratoires et cardiovasculaires. Une multitude d'études en Europe, aux États-Unis et au Canada, dont je vous épargne le détail parce qu'elles vont toutes dans la même direction, montrent très clairement que la mortalité provoquée par ces maladies est plus élevée en hiver. Plus il fait froid, plus les décès sont nombreux. Le lien est clair entre l'augmentation des décès et la baisse du thermomètre.

Cette mortalité plus élevée n'est pas associée à ce qu'on appelle un effet de moisson, comme pour les vagues de chaleur. Par exemple, la grande canicule en France, en 2003, a provoqué 15 000 morts, surtout des personnes âgées, mais cela a été suivi de périodes où les décès ont été moins nombreux, parce que la chaleur avait tout simplement précipité le décès de personnes qui étaient en fin de vie. On ne retrouve pas ce genre de cycle l'hiver.

Ce même froid a un effet plus insidieux, soit celui d'aggraver les maladies, d'empirer les conditions de santé, de rendre la vie plus difficile. À cause du froid, il y a plus de maladies coronariennes, notamment la maladie ischémique cardiaque, plus de maladies cérébrovasculaires, plus d'insuffisances cardiaques, plus d'infarctus du myocarde, une aggravation des symptômes de l'angine de poitrine. Le froid empire aussi les symptômes respiratoires, comme l'essoufflement, la toux et une respiration sifflante. Il représente une plaie pour les asthmatiques. Il est également lié à une aggravation des symptômes de maladie pulmonaire obstructive chronique. Et cela veut dire plus d'inconfort, plus de visites chez le médecin, plus d'hospitalisations.

TOUSSER ET MORVER

Dans un registre en général moins dramatique, l'hiver est également la saison de choix pour une foule de maladies infectieuses, à commencer par la rhinite infectieuse – ce que l'on appelle le rhume –, une infection virale du nez et de la gorge. La fréquence du rhume est plus élevée de la fin de l'automne au début du printemps, c'est-à-dire en hiver. C'est pendant l'hiver que l'on tousse et que l'on morve, sauf pour ceux qui souffrent d'allergies l'été. En moyenne, les adultes ont de deux à quatre rhumes par année. Les enfants d'âge préscolaire en attrapent en moyenne six ou huit par an, comme le savent bien les parents. En général, ce n'est pas une maladie grave et elle se soigne toute seule. Mais elle a un impact social considérable en étant responsable de 40 % du temps de travail perdu et de 30 % de l'absentéisme scolaire, en plus d'engendrer de très nombreuses et inutiles visites chez le médecin.

Mais si le rhume est une maladie de l'hiver, ce n'est pas vraiment une maladie du froid. La principale cause de la fréquence accrue des rhumes l'hiver est que l'on vit davantage à l'intérieur, dans des espaces confinés où la transmission du virus est plus facile. Le froid peut être un facteur indirect, pas parce qu'on prend son coup de mort, comme disaient nos grand-mères, en sortant dehors tête nue ou sans son foulard, mais parce que le froid intense provoque une contraction des muqueuses nasales qui réduit la capacité de l'organisme à lutter contre les infections. On observe cette augmentation des rhumes l'hiver partout, même dans les pays où il ne fait pas très froid. C'est donc un problème de santé hivernal où le

Québec, malgré ses froids de canard, n'est pas vraiment plus touché qu'ailleurs.

La chose est aussi vraie pour une autre maladie hivernale : la grippe. La vraie. De son vrai nom influenza, elle a fait la manchette lors de l'attaque d'une de ses versions, le H1N1. C'est une maladie grave, qui cloue les gens au lit quand ses effets sont plus légers, mais qui peut nécessiter l'hospitalisation et entraîner la mort. Pour la saison 2014-2015, on a dénombré, au Canada, 7954 cas d'hospitalisations dues à la grippe et 601 décès. C'est pour cette raison que la grippe est suivie de près et qu'on se dépêche de produire des vaccins pour chacune de ses mutations. Sa fréquence est clairement plus élevée l'hiver, comme le montre ce graphique de l'INSPQ, à la figure 6.

L'ISOLEMENT DES PERSONNES ÂGÉES

Tout au long de ces dernières pages, on a pu voir qu'une bonne partie des effets négatifs de l'hiver touche davantage les personnes vulnérables, et parmi elles, les personnes âgées. Elles sont plus susceptibles de souffrir d'affections ou de maladies chroniques qui seront empirées par le froid. En plus, même quand elles sont en bonne santé, leurs mécanismes de régulation sont moins efficaces et elles souffrent davantage du froid. Enfin, elles courent plus de risques de tomber sur la glace et sur la neige. Tous ces facteurs font en sorte que l'hiver est beaucoup plus pénible quand on avance en âge. Ce problème de santé publique se double d'un problème social qui ira en s'aggravant, puisque le vieillissement de la population au Québec est le plus rapide du monde industrialisé après celui du Japon.

J'ai déjà parlé des liens entre le froid et les maladies respiratoires ou cardiovasculaires. Ces conséquences néfastes augmentent avec l'âge. À cela s'ajoute un autre phénomène, dont

Figure 6 : Le nombre de cas de grippe par semaine en 2014-2015

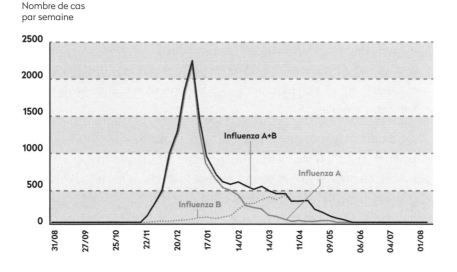

Source : INSPQ

on parle beaucoup moins et sur lequel je voudrais insister, celui des chutes, bien documenté par une autre étude de l'INSPQ.

Selon ce document, le nombre de chutes entraînant une hospitalisation a augmenté de 35 % de 1990 à 2003, surtout en raison de l'augmentation du nombre de personnes âgées de plus de 75 ans. Et ce n'est pas fini, parce que ce groupe augmente de façon spectaculaire. On dénombrait 560 000 personnes de 75 ans et plus en 2011. Leur nombre doublera presque en 20 ans pour atteindre 1,167 million en 2031.

Chaque année, 30 % des personnes âgées de 65 ans et plus qui vivent chez elles font une chute. En 2031, cela représentera plus d'un demi-million de cas. Or, les chutes constituent la première cause de décès, après les maladies. Et quand elles ne sont pas mortelles, elles engendrent leur lot de souffrances et d'inconfort, de stress et de douleur. Dix pour cent des chutes entraînent des blessures sérieuses, comme des fractures, des luxations ou des traumatismes. Au Québec, 14 000 aînés sont hospitalisés chaque année à cause d'une chute accidentelle. Le plus dramatique, ce sont les fractures de la hanche. Dans 20 % des cas, elles entraînent la mort dans l'année qui suit. Sinon, elles entraînent souvent une perte d'autonomie : seulement la moitié des personnes qui y survivent retrouvent leur autonomie antérieure.

On pourrait croire que les conditions hivernales empirent le problème et qu'on découvrirait une hausse de ces incidents pendant les mois d'hiver, quand les trottoirs deviennent glacés et que les marches des escaliers sont mal déneigées. Heureusement pas. D'une part parce que 80 % des chutes surviennent à l'intérieur, et d'autre part parce que les chutes à l'extérieur, même l'hiver, sont plus fréquentes chez des gens plus jeunes.

Pourquoi ? Pour une raison bien simple. La peur. Quand il y a une tempête ou des trottoirs glacés, les personnes âgées ne sortent pas, justement pour éviter les chutes. Et cela mène, à mon avis, au principal impact de nos conditions hivernales chez les personnes âgées. La peur de tomber, la peur de geler, la peur que le froid rende malade provoquent souvent le réflexe de s'enfermer et de rester à la maison pendant les mois d'hiver.

Il s'agit d'un coût social considérable dont on ne tient pas assez compte. Il contribue, pendant de longs mois, à l'isolement des personnes âgées, il leur interdit de vivre une vie normale, de socialiser, d'aller dans les lieux publics, et cela risque d'encourager le développement d'un mode de vie qui se maintiendra ensuite tout au long de l'année. S'il y a une différence frappante entre une ville comme Montréal et des villes européennes, c'est justement qu'on voit beaucoup moins de vieux dans nos rues, nos parcs, nos cafés, nos magasins, comme si on les cachait. En fait, ce sont eux qui se cachent, avec pour conséquence qu'ils n'ont pas une vie quotidienne normale et qu'ils s'excluent du monde.

Bien que la perte d'autonomie des personnes âgées s'explique par une foule de facteurs – le deuil, la maladie, la médication, les problèmes cognitifs –, il me paraît évident que les conditions climatiques constituent un facteur aggravant qui, par exemple, les poussera à quitter leur domicile pour choisir des modes d'hébergement collectifs. Cet impact du climat sur les personnes âgées est très peu documenté. Ce que j'écris ici ne repose donc pas sur une pile d'études, mais sur des conclusions personnelles, qui me semblent parfaitement logiques. En fait, je ne comprends pas qu'on tienne si peu compte de ce facteur.

Par exemple, la politique sur les aînés du gouvernement Charest, *Vieillir et vivre ensemble*, un document phare qui a été très bien accueilli, n'en parle pas[36]. Il insiste, comme il se doit, sur le fait que trop de personnes âgées ne participent pas à des activités en raison de leur santé et qu'elles ont souvent du mal dans leurs activités quotidiennes, il parle énormément de l'isolement, de la perte d'autonomie, mais nulle part, pas un mot, dans 204 pages, sur ce facteur qui peut contribuer à l'isolement et à la perte d'autonomie.

LE BON AIR DE L'HIVER?

Pour terminer, dissipons un autre grand mythe, celui des vertus toniques de l'air froid et cristallin de l'hiver, que de respirer ce bon air glacé serait sain, comme si le fait qu'il soit refroidi lui conférerait des propriétés particulières qui contribueraient à notre bonne santé et compenserait peut-être la très longue liste des effets négatifs de l'hiver.

On se souvient de nos grands-mères qui nous disaient de manger nos croutes de pain en raison de leurs soi-disant vertus nutritives. C'est à ranger dans la même catégorie. L'air froid ne contient pas plus d'oxygène, il n'est pas plus pur. Ce serait plutôt le contraire, parce que les poêles à bois, les moteurs au ralenti et les masses stationnaires d'air froid qui emprisonnent les particules augmentent le nombre d'épisodes de smog l'hiver.

Il est possible que le fait de respirer de l'air froid provoque un très bref sentiment agréable, parce que cela sent bon, surtout à la campagne, et que cela crée un effet momentanément agréable en provoquant une contraction des muqueuses nasales. Avec cette vasoconstriction, l'air passe mieux et cela crée un sentiment de bien-être qui ne dure que quelques secondes, parce que ce même air froid provoque de la vasodilatation et une contraction des bronches. Selon un ami ORL que j'ai consulté, qui a lui-même consulté des collègues qui s'étaient penchés sur la question, l'impression de bien respirer diminue avec le froid. C'est entre 16 °C et 24 °C, en tenant compte de facteurs comme l'humidité, que l'air passe le mieux et que la respiration est la plus agréable.

Il est toutefois vrai que sortir dehors l'hiver est bénéfique, pas à cause des vertus de l'air froid, mais parce qu'il faut bouger et sortir de la maison. L'hiver n'y est pour rien. On pourrait dire que les activités hivernales sont tonifiantes, entre autres parce que le froid nous oblige à bouger pour maintenir la chaleur du corps. Mais pour l'ensemble de la population, l'effet est plutôt négatif, soit parce que le froid a des impacts indésirables sur la santé, soit parce qu'il pousse les gens à rester à l'intérieur et à réduire leur niveau d'activité physique. L'air d'été est aussi bon, les activités d'été sont tout aussi saines, et même sans doute plus parce qu'on y consacre moins d'énergie à combattre le froid.

Les seules thèses que j'ai trouvées qui soutiennent que le froid est bon pour la santé se retrouvent dans des publications dites féminines, selon lesquelles le froid ferait brûler des calories et favoriserait donc la perte de poids, qu'il tonifierait les muscles et donc qu'il effacerait les rides ou qu'il aurait un effet stimulant comme celui des spas scandinaves[37].

ET POURTANT, NOUS SOMMES EN SANTÉ

Avant de terminer, il me paraît important d'apporter une grosse nuance après cette très longue liste des méfaits de l'hiver. Il faut rappeler que l'état de santé des Québécois, comme celui des Canadiens et celui des Scandinaves, est parmi les meilleurs au monde. Manifestement, l'hiver ne provoque pas dans tous ces pays une hécatombe qui plombe l'espérance de vie.

Malgré ces problèmes réels associés à l'hiver, nous nous portons bien, entre autres parce que nous disposons de moyens pour combattre ses effets. Ce que l'on peut dire toutefois, c'est que sans ce genre d'hiver, nous nous porterions encore mieux et qu'en termes de santé, l'idée d'aller passer quelques mois dans le Sud, surtout quand on commence à manifester des vulnérabilités, n'est pas folle du tout.

— 14 —
C'est bon pour le moral?

L'hiver, je crois l'avoir démontré de façon assez convaincante, du moins je l'espère, est assez brutal pour le corps humain. Mais est-il aussi dur pour son âme, pour son esprit?

Oui et non. Le froid, l'absence de lumière et les incidents climatiques peuvent affecter le moral et avoir des impacts psychologiques, notamment en plongeant certains d'entre nous dans un état de dépression hivernale. Mais au final, il faut aussi noter que les peuples du Nord et du froid semblent bien constituer les nations les plus heureuses de la planète.

Comment décoder ce paradoxe? Est-ce l'hiver qui rend heureux? Ou encore est-ce que l'hiver développe chez ceux et celles qui doivent l'affronter une résilience particulière et un stoïcisme qui les rend insensibles à sa rigueur? Ou plutôt est-il possible que l'hiver encourage des mécanismes d'adaptation et favorise une certaine aptitude au bonheur, une capacité à le trouver là où il est? À moins que le fait que les peuples du Nord soient heureux ne soit qu'un hasard et qu'il n'y ait aucun lien entre le bonheur et la nordicité... C'est ce que nous allons voir dans ce chapitre.

LE BLUES DU BLANC

La saison hivernale a des effets psychologiques connus. Elle mine le moral de beaucoup d'entre nous, elle provoque chez certains une véritable déprime, avec ce que l'on appelle couramment le blues de l'hiver. Il est vrai que bien des gens aiment l'hiver, sont heureux l'hiver, mais on n'a jamais pu démontrer que ces bons rapports avec la saison froide pouvaient avoir un effet positif mesurable sur la santé mentale. Le phénomène inverse, par contre, est hélas très bien documenté.

Le blues de l'hiver n'est pas seulement une expression populaire. La dépression saisonnière est reconnue depuis une vingtaine d'années comme une véritable maladie. Le trouble affectif saisonnier, le TAS, est un état dépressif provoqué par le manque de lumière naturelle et se produit donc, dans notre hémisphère, à la fin de l'automne ou au début de l'hiver. Le phénomène repose sur une base objective, car la luminosité chute dramatiquement et peut passer de 100 000 lux à 2000 lux les courts et sombres jours d'hiver. C'est à long terme qu'on identifie la maladie, quand on découvre qu'elle se reproduit année après année et que son caractère saisonnier devient identifiable.

Selon l'Association canadienne pour la santé mentale, le TAS affecterait de 2 % à 3 % de la population canadienne. La réduction de l'ensoleillement et le raccourcissement des jours en fin d'automne provoquent chez ces personnes des réactions apparentées à la dépression clinique qui peuvent durer jusqu'au printemps. Un autre 15 % subit une forme atténuée de TAS, ce que l'on appelle le blues de l'hiver.

Cependant, en toute logique, si la déprime hivernale est liée au manque de lumière et donc à l'éloignement de l'équateur, voilà un problème qui devrait épargner jusqu'à un certain point les Canadiens et les Québécois, parce que nous ne vivons pas très au nord et que notre hiver, s'il est froid, est assez ensoleillé.

Il y a pas mal plus de lumière l'hiver au Québec que dans les pays scandinaves ou qu'à Paris, Londres, Bruxelles ou Berlin. Au mois de décembre, la pire période à cet égard, le soleil se lève vers 10 h à Stockholm pour se coucher vers 16 h. Le soleil brille – un bien grand mot… disons plutôt que la trajectoire visible du soleil dure – 6,13 heures par jour. À Paris, on compte 8,19 heures entre le lever et le coucher du soleil. À Montréal, c'est 8,45 heures, soit une demi-heure de plus qu'à Paris et 2,5 heures de plus qu'à Stockholm. Et au Québec, le soleil ne fait pas que traverser le ciel, il brille, et c'est ça qui compte. En moyenne, en décembre, on peut compter sur 2,13 heures d'ensoleillement par jour à Montréal, presque deux fois plus qu'à Paris (1,29 heure), quatre fois plus que les trente minutes de Stockholm.

Nous n'avons pas ces hivers où la noirceur, le couvert nuageux, la pluie et l'humidité minent le moral. À quoi tient alors notre blues de l'hiver ? À mon avis, il est d'une autre nature. Un sondage Angus Reid réalisé en 2015 pour le Weather Network indiquait que 54 % des répondants se sentaient plus fatigués de janvier à mars, 35 % se disaient plus léthargiques, 24 % plus déprimés. Ce blues, décalé dans le temps, puisqu'il s'étire jusqu'en mars, est provoqué en partie par les journées trop courtes pour 75 % des répondants, mais aussi par les températures froides ou très froides pour 72 % d'entre eux. Dans bien des cas, la déprime de l'hiver frappe en mars, même si les journées rallongent et qu'on est proche de l'équinoxe.

Ce n'est pas la noirceur qui cause surtout la déprime, mais d'abord le fait que l'hiver est trop dur. Les gens ne se sentent pas déprimés, ils sont épuisés. Ce qui les achève ensuite, c'est le fait que l'hiver ne finit pas de finir. On le voit lors des vagues de froid de mars ou des dernières tempêtes d'avril. C'est là que surviennent l'écœurite aigüe, la baboune et le désir pressant de se sauver dans le Sud. Ce n'est pas l'obscurité qui nous tue, mais la durée.

LE MYTHE DES SUICIDES

Cette déprime ne va pas jusqu'à constituer, comme on le croit trop souvent, une grande cause de suicides. Il y a, à ce sujet, une véritable légende, très persistante, qu'il faudrait réfuter.

Il est vrai que, pendant des années, c'est au Québec que le taux de suicide était le plus élevé au Canada. Cela devrait suffire à montrer qu'en toute logique, ce n'est pas la rigueur du climat qui en est la cause, puisque l'hiver québécois est loin d'être le plus dur au Canada. Pourquoi alors provoquerait-il plus de suicides que dans les Prairies, où il fait beaucoup plus froid, où les journées sont plus courtes et où le printemps est plus tardif, ou encore que dans les Maritimes, là où se manifeste l'autre fléau de l'hiver, les tempêtes de neige monstrueuses.

Notons en passant que depuis 2009, selon une étude de l'INSPQ datant de 2013, le Québec a été délogé du premier rang, non pas parce que ses hivers se sont adoucis, mais plutôt parce que les politiques de prévention du suicide ont porté leurs fruits. La Saskatchewan est maintenant en tête avec un taux ajusté de 15,5 décès pour 100 000 habitants, suivie du Manitoba (14,1) et de la Nouvelle-Écosse (13,0). Le Québec, à 12,5, est au quatrième rang canadien, mais toujours au-dessus de la moyenne nationale de 10,7.

À l'échelle internationale, l'image du fameux tandem des deux champions du suicide que seraient le Québec et la Suède ne tient pas plus la route. Selon les données les plus récentes de l'OCDE, avec une méthodologie un peu différente et donc des chiffres un peu différents, le taux de suicide de la Suède, 11,0 pour 100 000 habitants, est plus bas que la moyenne de l'OCDE (11,3). Celui du Canada est encore plus bas, à 10,2. Dans ce classement de 33 pays, le Québec, avec un taux de 11,9, légèrement au-dessus de la moyenne de l'OCDE, serait au treizième rang, la Suède au seizième rang et le Canada, au vingtième.

Regardons maintenant les pays où la prévalence du suicide est la plus élevée. Le champion de ce triste top 10 est la Corée du Sud, suivie de la Russie, de la Hongrie, du Japon, de la Finlande, de la Slovénie, de l'Estonie, de la Belgique, de la Suisse et de la France. Difficile de trouver un lien clair et constant avec les conditions hivernales.

MAIS LE FROID REND HEUREUX

S'il n'y a pas de corrélation entre les conditions hivernales et le suicide, le lien entre la nordicité et le bonheur semble être beaucoup plus évident. La plupart des pays faisant partie du groupe des pays les plus heureux sont des pays nordiques ou des pays à l'hiver rigoureux. Une drôle de corrélation qui risque de détruire la longue démonstration que j'ai faite tout au long de ce livre.

Il y a deux grandes façons de mesurer le bonheur pour les organismes internationaux. Dans les deux cas, le succès des pays du Nord est manifeste. Commençons par l'outil le plus utilisé, l'indicateur Vivre mieux de l'OCDE.

Cet indicateur est bâti à partir de onze variables qui mesurent différents aspects associés au bien-être d'une population : des mesures économiques traditionnelles comme le revenu, la richesse du pays, l'emploi, mais aussi le logement, la santé, l'éducation, l'environnement, la solidarité sociale, la sécurité et la satisfaction par rapport à sa vie. Ce n'est pas un indice de bonheur, mais plutôt de qualité de vie.

Dans sa version la plus récente au moment d'écrire ces lignes, celle de l'automne 2015, le pays où il faisait le mieux vivre, c'était l'Australie, un pays où dominent des zones tropicales, semi-tropicales et désertiques. Mais ensuite ? La Suède, la Norvège, la Suisse et le Danemark. Autrement dit, dans les cinq pays en tête du classement, on retrouvait trois pays scandinaves, et donc nordiques, et un autre, la Suisse, dont une bonne partie du territoire est soumise à une forme de nordicité, avec l'altitude et les neiges éternelles. Donc quatre sur cinq. Et si on continue ? Les cinq pays suivants étaient, dans l'ordre, le Canada, les États-Unis, la Nouvelle-Zélande, l'Islande et la Finlande. Trois pays froids sur cinq. Bref, dans le top 10, on retrouve sept pays de froid et de neige. Les trois autres ont une caractéristique commune, leurs racines anglo-saxonnes. Le Québec, si on l'inclut dans ce classement international, serait à peu près au même niveau que le Canada. Les résultats varient d'une année à l'autre, mais ce sont les mêmes pays qui sont dans le peloton de tête et qui s'échangent les premières places dans un jeu de chaises musicales (*voir la figure 7*).

Une autre mesure du bonheur, le World Happiness Report, avec une approche développée sous l'égide des Nations Unies, repose sur une définition subjective. On demande aux gens, à travers le monde, d'évaluer leur qualité de vie sur une échelle de 0 à 10. Des études complémentaires ont permis de voir que le degré de satisfaction par rapport à sa propre vie s'explique, entre autres, par le revenu et l'espérance de vie en santé, mais aussi par la liberté de faire ses propres choix, la générosité et la perception de la corruption. Avec cette autre mesure, des pays comme les États-Unis perdent du galon, parce que les variables économiques jouent moins. Les 10 pays les plus heureux étaient, selon le World Happiness Report de 2015 portant sur les années 2012-2014, la Suisse, l'Islande, le Danemark, la Norvège, le Canada, la Finlande, les Pays-Bas, la Suède, la

Figure 7 : Le classement des pays selon l'indicateur Vivre mieux de l'OCDE, en 2015

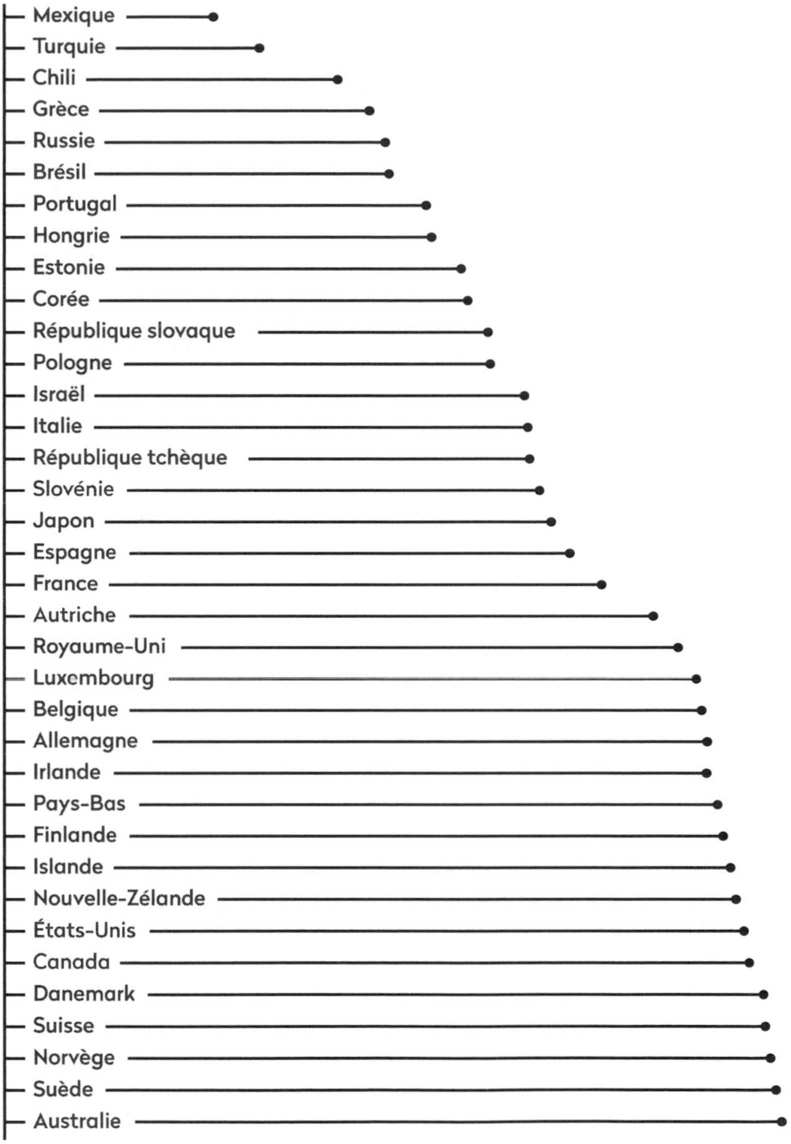

Mexique

Turquie

Chili

Grèce

Russie

Brésil

Portugal

Hongrie

Estonie

Corée

République slovaque

Pologne

Israël

Italie

République tchèque

Slovénie

Japon

Espagne

France

Autriche

Royaume-Uni

Luxembourg

Belgique

Allemagne

Irlande

Pays-Bas

Finlande

Islande

Nouvelle-Zélande

États-Unis

Canada

Danemark

Suisse

Norvège

Suède

Australie

Source : OECD Better Life Index, www.oecdbetterlifeindex.org

Nouvelle-Zélande et l'Australie (*voir la figure 8*). Six pays froids sur dix, plus la Suisse, ce qui fait sept.

C'est sur la foi de ce classement, mais pour les années 2010-2012, où le Danemark était au premier rang, que s'étaient multipliées les enquêtes sur le secret du pays des gens heureux.

Le Québec, selon l'enquête annuelle du même genre que fait Statistique Canada avec des questions sur la satisfaction à l'égard de la vie, se retrouve au deuxième rang Canadien en 2014, après l'Île-du-Prince-Édouard, mais bien au-dessus de la moyenne canadienne. Cela permet de conclure que le Québec, dans ce classement international, se retrouverait, au troisième rang, ex æquo avec le Danemark. Ce qui fait du Québec, lui aussi, un pays de gens heureux.

LA SOURCE DU BONHEUR?

Qu'est ce qu'on peut en conclure? Il y a d'abord une évidence. Le froid n'empêche pas les gens d'être heureux. Mais est-ce qu'il contribue pour autant à leur bonheur? Je mise sur une autre hypothèse.

Si on regarde bien ces classements, et surtout le World Happiness Report, les pays qui assurent le mieux le bonheur de leurs citoyens sont ceux où il y a un certain équilibre entre le développement social et le développement économique et qui ont développé un solide filet de sécurité sociale. La recette du bonheur semble être là.

J'ai démontré plus tôt qu'il n'y avait pas de lien entre le caractère nordique d'un peuple et ses aptitudes industrieuses ou sa capacité de créer de la richesse, mais il semble y avoir un lien très net entre la nordicité et le filet de sécurité sociale. Les pays où il fait froid, où les conditions hivernales sont dures,

Figure 8: L'indice de satisfaction à l'égard de la vie en 2012-2014

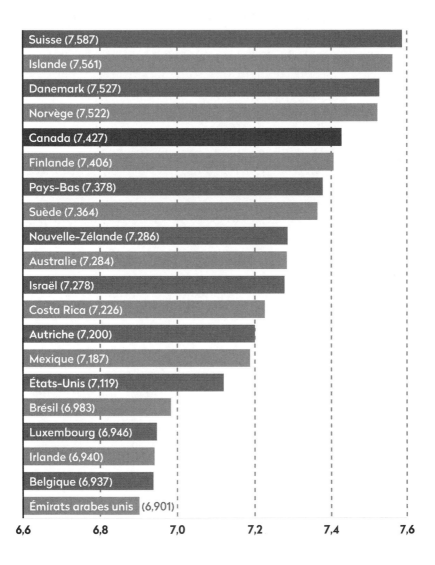

Source: Helliwell, John F., Richard Layard, and Jeffrey Sachs, eds. 2015. *World Happiness Report 2015*. New York: Sustainable Development Solutions Network.

sont des pays qui ont tendance à être solidaires. Et je crois qu'il ne s'agit pas d'un hasard. La rigueur des hivers a empêché les citoyens de ces pays d'adhérer aux théories du chacun pour soi, aux thèses voulant que les gens soient capables de se débrouiller seuls. Dans les pays du Nord, on ne peut pas dormir sous un pont ou dans son auto. On mourrait. On ne peut pas se nourrir en cueillant des fruits aux arbres. C'est cette adversité qui a favorisé l'éclosion de réflexes d'entraide dont les formes plus modernes et plus complexes ont donné les filets de sécurité sociale. Ceux-ci existent dans d'autres pays non nordiques, comme la France, mais règnent clairement partout où il fait froid. C'est là, à mon avis, qu'on peut trouver un lien entre la nordicité et le bonheur.

Un autre facteur qui peut peut-être jouer est le stoïcisme des gens où le climat est dur, une certaine résignation face à des facteurs sur lesquels on n'a aucun contrôle, et donc une aptitude à mieux accepter son sort. Je ne parle pas de fatalisme, mais d'une certaine aptitude à trouver le bonheur là où il est, ce que l'on semble retrouver chez les Québécois, plus heureux que les autres Canadiens, sans que l'on sache trop pourquoi. C'est pas mal plus facile de se sentir heureux quand on n'est pas mécontents tout le temps comme les Français, qui se retrouvent au vingt-sixième rang du World Happiness Report, avec un indice de 6,575.

Cela donne des paradoxes comme celui que l'on observe au Québec, un des pays les plus heureux de la planète, ce qui ne nous empêche pas, et ce, en très grand nombre, d'être insatisfaits de nos conditions climatiques. On peut être heureux, mais chialeux.

— 15 —
Et si les changements climatiques changeaient tout ça ?

Bien des Québécois se disent que tout ça achève. Que les hivers trop froids qu'ils ont subis depuis leur naissance seront bientôt chose du passé, à cause – ou grâce – aux changements climatiques. Je suis persuadé que, dans leur for intérieur, sans le dire tout haut parce que cela ne serait pas bien vu, pas mal de Québécois attendent avec une certaine impatience ce réchauffement de la planète et que plusieurs d'entre eux sont peut-être tentés d'appuyer sur l'accélérateur, lorsqu'ils sont immobilisés à un feu rouge, pour produire un peu plus de gaz à effets de serre.

Officiellement, les Québécois manifestent une louable conscience environnementale et expriment, du moins en son-dage, leur inquiétude sur l'avenir de la planète. Mais derrière cette façade verte, les comportements dans la vie de tous les jours n'ont pas changé, que ce soit pour la consommation de l'énergie, le recyclage, l'étalement urbain ou l'utilisation de la voiture. Il est vrai que les Québécois émettent beaucoup moins de gaz à effets de serre que leurs voisins, mais c'est moins en raison de leurs pratiques exemplaires ou en raison des politiques gou-vernementales que grâce au hasard géographique qui nous donne de l'hydroélectricité en abondance et réduit ainsi notre recours aux hydrocarbures.

Cette dichotomie entre les pratiques environnementales des Québécois et leurs préoccupations écologiques reflète probablement leur ambivalence à l'égard des changements climatiques. Il est difficile de se mobiliser contre le principe du réchauffement du climat quand on rêve d'avoir plus chaud. Bien sûr, les Québécois sont sensibles aux arguments qu'ils entendent sur les ravages que fera le réchauffement de la planète dans le Grand Nord, dans les pays du Sud, dans les villes proches de la mer, mais plusieurs d'entre eux ne pourront pas s'empêcher de se dire que le Québec, à plusieurs égards, pourrait en sortir gagnant.

C'est un mauvais calcul. Déjà, les premières manifestations du réchauffement de la planète devraient leur mettre la puce à l'oreille. Jusqu'ici, les principaux effets qu'on a pu remarquer étaient, au Québec, des événements climatiques extrêmes, comme le printemps très hâtif de 2013, avec des températures supérieures à 20 °C à la fin mars, et les hivers particulièrement rigoureux de 2014 et 2015. On a pu voir la perplexité des Québécois, qui grelottaient pendant l'hiver 2015 lorsqu'ils ont appris que les mois de janvier et de février avaient été les plus chauds de l'histoire partout sur la planète, sauf dans quelques très rares zones – dont le Québec – où il avait été plus froid que la normale.

Ces deux hivers froids masquent le fait que le climat se réchauffe vraiment au Québec. La température a augmenté d'un degré à Montréal entre la période 1970-1980 et la période 2000-2010, selon le Plan d'adaptation aux changements climatiques de l'agglomération de Montréal, publié en novembre 2015. La durée de la croissance des végétaux a augmenté de 9 jours, il y a cinq jours de moins de gel, le nombre de jours d'enneigement est passé de 103 à 73. Et pour ceux qui jardinent, Montréal est maintenant une zone 6 plutôt que 5B. Ceux qui ont l'impression que nos hivers ne sont plus ce qu'ils étaient ont parfaitement raison.

Les projections d'Ouranos, le consortium sur la climatologie régionale et l'adaptation aux changements climatiques, qui sert de référence au Canada, réalisées pour le sud du Québec, et dont se sert le document montréalais, indiquent que, pour la période 2041-2070, les températures pourraient augmenter de 2,0 °C à 4,0 °C, avec pour conséquences un allongement additionnel de 10 à 30 jours de la période de croissance des végétaux, une réduction de la période de gel de deux à quatre semaines, et une réduction de 15 à 45 jours de la période d'enneigement.

En hiver, en 2050, les températures pourraient augmenter de 2,5 °C à 3,8 °C dans le sud du Québec, et de 4,5 °C à 6,5 °C dans le nord. En été, les hausses varieraient de 1,9 °C à 3,0 °C au sud et de 1,6 °C à 2,8 °C au nord.

Un degré de plus ou de moins, en météorologie, c'est énorme. Ces changements prévus sont assez importants pour modifier le climat de façon significative. Mais il faut être conscient du fait qu'avec une hausse moyenne du mercure de 2 °C à 4 °C l'hiver, Montréal restera nettement plus froide dans 35 ans que ne l'est Toronto maintenant, puisqu'à l'heure actuelle, il fait 5 °C ou 6 °C de plus l'hiver dans la ville reine. Montréal, malgré le réchauffement, restera plus froide que les Oslo ou Helsinki d'aujourd'hui.

Le Québec ne jouira pas, dans quelques décennies, du climat de la Virginie ou de la Caroline. Ce qui va changer toutefois, c'est que Montréal souffrira sans doute moins des grandes vagues de froid. Son hiver se terminera plus tôt, en mars plutôt qu'en avril, mais il sera davantage perturbé par des tempêtes, du verglas, des redoux. L'hiver sera moins sibérien qu'actuellement, mais la température restera assez froide pour que ce soit un vrai hiver.

Par contre, si les hausses de température seront un peu plus modestes l'été dans le sud, le gain de deux ou trois degrés fera une grosse différence pour installer le Québec encore davantage dans la culture du sud que j'ai décrite, mais avec plus d'événements extrêmes, grosses pluies, canicules et périodes de sécheresse.

C'est cette imprévisibilité du climat qui ne permet pas d'entrevoir des gains clairs pour le Québec. À cela s'ajoute le fait que les changements climatiques constituent la rupture, rapide, d'une situation d'équilibre. Et quand on bouscule les choses, c'est vrai tout autant pour la vie sociale, l'activité économique ou l'environnement, on déclenche des processus imprévisibles et difficiles à contrôler.

De façon générale, l'agriculture en profitera, mais pas ses productions qui reposent sur du temps plus frais et des saisons plus courtes, comme les céréales ou les fraises. L'acériculture souffrira, la viticulture en profitera. Le tourisme d'été sera gagnant, mais les industries qui reposent sur les sports hivernaux souffriront. Le réchauffement s'accompagnera de l'arrivée de parasites auxquels la faune et la flore ne sont pas adaptées. Les événements extrêmes ne feront pas qu'affecter le Grand Nord, ils auront aussi des impacts significatifs sur nos infrastructures : érosion des berges, inondations, débordements dus aux précipitations intenses.

Morale de l'histoire, le Québec ne pourra pas miser sur le réchauffement de la planète pour vraiment échapper à son sort climatique. Ce n'est pas mauvais pour moi, parce que ce livre pourra avoir une durée de vie quand même assez longue. Pour les Québécois, il n'y aura pas de porte de sortie, sinon se résigner, raffiner ses outils d'adaptation à l'hiver, fuir ou continuer à développer la culture du sud qui s'est installée au Québec.

Notes

1. Chartier, Daniel et Jean Désy. *La nordicité du Québec, Entretiens avec Louis-Edmond Hamelin*, Québec, Presses de l'Université du Québec, 2014.

2. Hamelin, Louis-Edmond. *Discours du Nord*, collection Recherche du GÉTIC, no 35, Québec, Université Laval, 2002, http://lehamelin.sittel.ca/pdf/Documents/1484-2_DiscoursNord.pdf.

4. Gouvernement du Québec. *Plan Nord, faire le Nord ensemble, le chantier d'une génération*, Québec, 2011, ftp.mrnf.gouv.qc.ca/Public/Bibliointer/Mono/2011/12/1083958.pdf.

5. Hamelin, Louis-Edmond. «Nordicité», *Encyclopédie canadienne*, 2015, www.encyclopediecanadienne.ca/fr/article/nordicite.

6. Forêts, faunes et parcs Québec. *Zones de végétation et domaines bioclimatiques du Québec*, www.mffp.gouv.qc.ca/forets/inventaire/inventaire-zones-carte.jsp.

7. Météomédia. *Top 5 : Les capitales les plus froides du monde*, 2014, www.meteomedia.com/nouvelles/articles/top-5--les-capitales-les-plus-froides-du-monde-/225.

8. Pressman, Norman. *Northern cityscape : Linking design to climate*, Yellowknife, Winter Cities Association, 1995.

9. Ville de Montréal – Direction des sports Commission permanente sur la culture, le patrimoine et les sports Mémoire de l'Ordre des architectes, «Le goût de bouger : Comment favoriser un mode de vie physiquement actif?», novembre 2012.

10. Lapointe, Josée. «Vincent Vallières: l'hiver, c'est pas pour les peureux», *La Presse*, 20 février 2015.

11. Cardinal, François. «Du vélo l'hiver? Mais... Pourquoi?», *La Presse*, février 2015, www.lapresse.ca/debats/chroniques/francois-cardinal/201502/14/01-4844190-du-velo-lhiver-mais-pourquoi.php.

12. Arcand, Bernard. *Abolissons l'hiver!*, Montréal, Boréal, 1999.

13. Agence de la santé et des services sociaux de Montréal. *Chaleur accablante ou extrême 2013, Plan régional de prévention et de protection pour les journées de chaleur accablante ou extrême*, Montréal, Agence de la santé et des services sociaux de Montréal, 2013, publications.santemontreal.qc.ca/uploads/tx_asssmpublications/isbn978-2-89510-573-2_01.pdf.

14. Chartier, Daniel et Jean Désy. *La nordicité du Québec, Entretiens avec Louis-Edmond Hamelin*, Québec, Presses de l'Université du Québec, 2014.

15. Lortie, Stanislas-Alfred. « L'origine des immigrants français de 1608 à 1700 », dans Philippe Barbaud, Le choc des patois en Nouvelle-France, Sillery, Les Presses de l'Université du Québec, 1984, p. 20-21, www.axl. cefan.ulaval.ca/francophonie/Nlle-France_tablo1.html.

16. Chartier, Daniel. « La nordicité culturelle du Québec : un facteur de différenciation. *Riveneuve Continents, revue des littératures françaises*, no 6, Paris, automne 2008.

17. Labrie, Josée. « Maudit hiver ! », *Le magazine de l'Université Sherbrooke*, vol 2, no 1, 16 mai 2011.

18. Statistique Canada. *Population urbaine et rurale, par province et territoire (Canada)*, www.statcan.gc.ca/tables-tableaux/sum-som/l02/cst01/demo62a-fra.htm

19. Statistique Canada. *Enquête nationale auprès des ménages*, 2011, https://www12.statcan.gc.ca/census-recensement/index-fra.cfm.

20. Institut de la statistique du Québec. *Le bilan démographique du Québec*, Gouvernement du Québec, Québec, 2014, www.stat.gouv.qc.ca/statistiques/population-demographie/bilan2014.pdf.

21. Banque TD. « Une volée de *snowbirds* et un huard en chute », Commentaire, Services économiques TD, 24 février 2014. www.td.com/francais/document/PDF/economics/special/Snowbirds_fr.pdf.

22. Services économiques TD. « Une volée de snowbirds et un huard en chute les achats outre-frontière diminueront, mais les touristes hivernants continueront de s'envoler vers le sud », 24 février 2014. www.td.com/francais/document/pdf/economics/special/snowbirds_fr.pdf.

23. Desrosiers-Lauzon, Godefroy. « À l'envers de l'hiver : le voyage en Floride et les identités canadienne et québécoise », *Histoire sociale, Social history*, vol. 39, no 77, 2006. hssh.journals.yorku.ca/index.php/hssh/article/view/4213/3411.

24. Picher, Claude. « L'hiver, une affaire de 18 milliards $ », *La Presse*, 18 mars 2011.

25. Paradis, Isabelle. « Le coût de l'hiver », CoopMoi, Desjardins, janvier 2014. blogues.desjardins.com/coopmoi/2014/01/le-cout-de-lhiver.php.

26. Argent. *L'hiver engendre une facture de 10 G$ au Québec*, 2013. argent.canoe.ca/nouvelles/affaires/hiver-engendre-une-facture-quebec-21012013.

27. Normandin, Pierre-André. «Déneiger coûte plus d'un milliard par an au Québec». *La Presse*. 11 décembre 2014. www.lapresse.ca/actualites/national/201412/10/01-4827154-deneiger-coute-plus-dun-milliard-par-an-au-quebec.php

28. Normandin, Pierre-André, Sara Champagne et Daphné Cameron. «Un nid-de-poule tous les 14 mètres», *La Presse*, 28 avril 2015.

29. Institut de la Statistique du Québec. «Investissements privés et publics Québec et ses régions.» www.stat.gouv.qc.ca/statistiques/economie/investissements/prives-publics/ipp-regions.html.

30. Statistique Canada. Enquête sur la population active (tableaux CANSIM 282-0087 et CANSIM 282-0088).

31. *Loc. cit.*

32. Maddison, Angus. *World Economy : Historical Statistics*, OECD, 2003.

33. Gasparrini, Antonio et coll. «Mortality risk attributable to high and low ambient temperature: a multicountry observational study», *The Lancet*, vol. 386, no 9991, 2015, p. 369-375.

34. Gouvernement du Québec, *Plan d'action 2006-2012, Le Québec et les changements climatiques, un défi pour l'avenir*, Ministère du Développement durable, de l'Environnement et des Parcs, Québec, 2008.

35. Laaidi, Karine et coll. *Vagues de froid et santé en France métropolitaine, Impact, prévention, opportunité d'un système d'alerte*, Institut de veille sanitaire, 2009, p. 8-9. http://opac.invs.sante.fr/doc_num.php?explnum_id=587.

36. Gouvernement du Québec. *Vieillir et vivre ensemble, chez soi, dans sa communauté, au Québec*, Ministère de la Famille et des Aînés, Québec, 2012. www.mfa.gouv.qc.ca/fr/publication/Documents/politique-vieillir-et-vivre-ensemble.pdf.

37. Gabillat, Claire. «Les bienfaits du froid sur la santé», *Femme actuelle*. http://www.femmeactuelle.fr/sante/sante-pratique/bienfaits-froid-02930.